*Avaliação psicomotora à luz
da psicologia e da psicopedagogia*

Dados Internacionais de Catalogação na Publicação (CIP)
(Câmara Brasileira do Livro, SP, Brasil)

Oliveira, Gislene de Campos
   Avaliação psicomotora à luz da psicologia e da psicopedagogia / Gislene de Campos Oliveira. 13. ed. – Petrópolis, RJ : Vozes, 2014.

   9ª reimpressão, 2024.

   ISBN 978-85-326-2790-2

   Bibliografia.

   1. Crianças – Desenvolvimento psicomotor – Avaliação 2. Psicologia educacional 3. Psicologia infantil I. Título.

02-4896   CDD-155.412

Índices para catálogo sistemático:
1. Avaliação psicomotora : Psicologia infantil   155.412
2. Psicomotricidade : Psicologia infantil   155.412

Gislene de Campos Oliveira

Avaliação psicomotora à luz da psicologia e da psicopedagogia

Petrópolis

© 2002, Editora Vozes Ltda.
Rua Frei Luís, 100
25689-900 Petrópolis, RJ
www.vozes.com.br
Brasil

Todos os direitos reservados. Nenhuma parte desta obra poderá ser reproduzida ou transmitida por qualquer forma e/ou quaisquer meios (eletrônico ou mecânico, incluindo fotocópia e gravação) ou arquivada em qualquer sistema ou banco de dados sem permissão escrita da editora.

CONSELHO EDITORIAL

Diretor
Volney J. Berkenbrock

Editores
Aline dos Santos Carneiro
Edrian Josué Pasini
Marilac Loraine Oleniki
Welder Lancieri Marchini

Conselheiros
Elói Dionísio Piva
Francisco Morás
Gilberto Gonçalves Garcia
Ludovico Garmus
Teobaldo Heidemann

Secretário executivo
Leonardo A.R.T. dos Santos

PRODUÇÃO EDITORIAL

Aline L.R. de Barros
Marcelo Telles
Mirela de Oliveira
Otaviano M. Cunha
Rafael de Oliveira
Samuel Rezende
Vanessa Luz
Verônica M. Guedes

Conselho de projetos editoriais
Isabelle Theodora R.S. Martins
Luísa Ramos M. Lorenzi
Natália França
Priscilla A.F. Alves

Editoração e org. literária: Roberta Hang M. Soares
Capa: Omar Santos

ISBN 978-85-326-2790-2

Este livro foi composto e impresso pela Editora Vozes Ltda.

Agradecimentos

Gostaria de expressar meus agradecimentos a todas as pessoas que tornaram possível esta pesquisa.

Aos meus amigos do Grupo de Estudos e Pesquisas em Psicopedagogia – Gepesp, da Universidade Estadual de Campinas – Unicamp, pelas sugestões, incentivo e apoio.

Ao Prof.-Dr. Fermino Fernandes Sisto, que me orientou na preparação dos dados para análise quantitativa.

À Profa.-Dra. Lucila Dihel Tolaine Fini, que me auxiliou na elaboração do teste de leitura.

Aos meus auxiliares de pesquisa, que, com dedicação, aplicaram este instrumento de avaliação: Ana Fátima Trivelato, Andrea Souza de Carvalho e Silva, Cláudia Maria Monteiro Pedroso Lenne, Edna Rosa Correia, Maria Lúcia Bachiega, Roberta Marchesini de Oliveira e Wannyse de Oliveira Zirko.

Às duas crianças maravilhosas – Murilo e Caio – que, com paciência e amor, se sujeitaram a horas de sessões de fotos dos exercícios propostos neste trabalho. À Mônica e Heloísa que também me auxiliaram nas fotos.

A todas as crianças que participaram do exame psicomotor e que me forneceram os elementos de análise dos dados desta pesquisa.

Meu agradecimento especial a toda minha família que me incentiva e apoia em tudo o que faço.

Sumário

Apresentação, 9

1. Investigação das dificuldades, 11
    1. Anamnese, 11
    2. Consultando o professor, 23

2. Objetivos, estratégias e análises, 27
    1. Objetivos, 27
    2. Estratégias de observações para a aplicação da avaliação psicomotora, 29
    3. Análise qualitativa e quantitativa, 31

3. Avaliação psicomotora, 33
    1. Normas e instruções, 33

4. Etapas do desenvolvimento psicomotor e idade psicomotora, 101
    1. 1ª etapa – Corpo vivido (até 3 anos de idade), 101
    2. 2ª etapa – Corpo percebido ou "descoberto" (3 a 7 anos), 102
    3. 3ª etapa – Corpo representado (7 a 12 anos), 103
    4. Idade psicomotora, 104

5. Avaliação das provas acadêmicas num enfoque psicomotor, 111

6. Entrevista de devolução do diagnóstico psicomotor e conclusão, 125

Anexos, 129

Referências bibliográficas, 143

Apresentação

Este livro é fruto de anos de trabalho e dedicação.

Como professora de psicomotricidade, na hora de apresentar um exame psicomotor enfrentava sempre o problema de encontrar um instrumento realmente eficaz e que avaliasse todas as características ou habilidades que eu trabalhava em minhas aulas. Precisava recorrer a diversos autores para compor uma avaliação que contemplasse as diferentes habilidades das crianças. Na maioria, os exames conhecidos ou eram muito restritos a alguma área específica ou eram muito longos e demandavam muito tempo para análise e execução.

Surgiu então a ideia de compilar – dentre os melhores exames já publicados e minha própria experiência – e criar uma forma mais simples e mais rápida de registrar os dados.

Fundamentada em Le Boulch sobre a teoria das idades psicomotoras pelas quais passa a criança desde que nasce, procurei acatar este desenvolvimento, destacando as habilidades esperadas em cada idade e criando um instrumento que demarcasse a idade motora do examinando, bem como seu perfil psicomotor.

Este livro é um instrumento eficaz também quando se realiza uma pesquisa em que são muitos os examinandos e necessita-se de uma análise quantitativa, além de qualitativa. Os dados são facilmente trabalhados em análises estatísticas.

Quando se recorre a mais de uma avaliação – uma no início de uma reeducação e outra no final – tem-se condições, com tal instrumento, de se estar refletindo sobre as mudanças ocorridas e de verificar se o proponente conseguiu atingir a idade motora esperada para sua idade cronológica.

Complementando os dados obtidos apresento também no início desta obra um roteiro de anamnese muito conhecido pelos profissionais da área. Meu objetivo com isto é mostrar a importância de se conhecer a história de vida da criança para poder descobrir o cerne de seus problemas psicomotores. Este instrumento prioriza perguntas sobre o desenvolvimento psicomotor para facilitar um maior conhecimento da dinâmica familiar em relação às habilidades desenvolvidas pelas crianças.

Outros instrumentos se fazem necessários para se ter um quadro geral de todas as dificuldades psicomotoras do examinando. Os psicólogos podem utilizar também a prova gráfica de organização perceptiva de Laureta Bender. Uma parte essencial do complexo da leitura e escrita é a percepção de padrões, relações espaciais e organização de configurações propostas pela prova.

O professor também deve ser ouvido, com o objetivo de descobrir como a criança se comporta diante dos amigos e do ensino. Apresento aqui um modelo de questionário que normalmente envio aos professores.

Dependendo do caso, deve-se encaminhar a criança também a um neurologista, a fim de proceder a um diagnóstico e ampliar seu conhecimento sobre ela.

Em meu livro anterior analisei algumas dificuldades de aprendizagem provenientes de falhas psicomotoras. Neste momento, apresento no final da obra uma forma de avaliação acadêmica tomando como prisma a psicomotricidade. Gostaria de salientar que esta avaliação não se esgota, pois é necessário que muito mais seja pesquisado para se ter um quadro completo de todas as dificuldades escolares apresentadas pela criança.

Este livro é dedicado a psicomotricistas, psicopedagogos, psicólogos e estudantes destas três áreas do saber. Ele possui um caráter institucional – quando o profissional escolar quer investigar alguma habilidade da criança defasada em relação às outras da classe – e um caráter terapêutico – em clínicas, quando se quer ter um quadro mais amplo das principais dificuldades sujeitas a uma terapia posterior.

Espero ter beneficiado o leitor com estas minhas experiências.

A autora

Investigação das dificuldades

1. ANAMNESE

A anamnese é um instrumento valioso utilizado por vários profissionais. É realizada em forma de entrevista na qual é abordado um conjunto de informações sobre a história de vida do cliente e de suas principais dificuldades.

Ao se tratar de um cliente adolescente, a primeira entrevista é realizada com ele mesmo. Se houver necessidade, pode-se, porém, solicitar sua autorização para conversar com os pais com o objetivo de se obter alguns esclarecimentos.

Quando se tratar de crianças, procedemos então à anamnese insistindo na presença dos dois pais, pois ambos devem estar envolvidos com a educação dos filhos. Neste contato os pais expõem os motivos que os levaram a procurar auxílio, suas queixas principais.

Normalmente os pais que procuram uma clínica psicopedagógica trazem a queixa de que seus filhos não acompanham a classe e não aprendem o que os professores querem ensinar. Podemos salientar ainda problemas como déficits intelectuais, comportamentos inadequados de agressividade, de falta de limites, problemas emocionais como baixa autoestima, falta de atenção e concentração, falta de habilidades psicomotoras, entre outros.

Não se deve limitar o número de sessões de anamnese com os pais, pois estas devem ser quantas forem necessárias para se ter uma visão dinâmica da problemática em pauta. No entanto, propor uma segunda entrevista muitas vezes é mais difícil, tendo em vista que hoje em dia os pais trabalham fora e torna-se complicado conciliar os horários dos dois. Deve-se, portanto, procurar extrair, na medida do possível, muitas informações em uma única sessão.

O roteiro de entrevista que apresentamos a seguir deve ser entendido e usado como indicador de sugestões para o aprofundamento da questão e deve servir apenas como alguns lembretes do que se deve investigar.

Trata-se de um roteiro já conhecido nos meios terapêuticos, e já passou por tantas modificações ao longo dos anos que fica difícil precisar seu autor. Neste trabalho sofreu novamente algumas modificações no tocante a uma ampliação da investigação do desenvolvimento psicomotor.

É importante lembrar que se deve evitar o clima de interrogatório, comum quando se está procedendo à anamnese. O principal objetivo desta entrevista é um contato eficaz a fim de obter a confiança dos pais. Não constitui somente uma coleta de dados.

O terapeuta deve deixá-los bem à vontade para que possam manifestar suas queixas, dificuldades e sofrimentos dos filhos. Neste momento deve-se intervir o mínimo possível: apenas para esclarecimento de algum ponto ou quando houver dispersão do assunto. Deve-se criar, na medida do possível, um clima de compreensão, de confiança, de simpatia e de interesse. Deve-se transmitir a ideia de que o cliente pode comunicar livremente todos os fatos que lhe vierem à mente, inclusive os acontecimentos dolorosos, desagradáveis, pois ninguém estará realizando algum juízo de valor ou dando conselhos.

O nível de ansiedade dos pais quase sempre é muito forte e o terapeuta deve procurar diminuí-lo para que eles saiam da entrevista mais confiantes e sabendo o que será realizado para se obter uma maior compreensão das dificuldades de seus filhos.

Muitas vezes o cliente tenta iniciar a entrevista já na sala de espera ou nos corredores. Estas entrevistas devem se restringir somente à sala de terapia com as portas fechadas, e nunca deve ser permitido que a criança esteja presente, para que os assuntos possam fluir mais espontaneamente.

Esta entrevista é um instrumento muito esclarecedor para se descobrir a dinâmica familiar e tem uma validade muito grande para o diagnóstico psicomotor, pois descobrem-se aí pistas de uma imaturidade neurológica da criança desde o nascimento. Percebe-se também a imaturidade decorrente de um ambiente não estimulador, repressor e particularmente superprotetor que dificultam uma maior integração da criança ao meio.

Gostaria de salientar que foi dado um cunho psicopedagógico a esta anamnese, extraindo informações que só interessam ao psicólogo. Concordamos que alguns deles possam achar este roteiro incompleto, mas não queríamos nos desviar de nossos propósitos.

Passaremos agora a analisar, brevemente – pois os tópicos já se esclarecem por si mesmos –, os principais objetivos das investigações constantes deste roteiro.

Queixa ou motivo da consulta

Descobrir quem indicou a avaliação psicopedagógica pode ser uma boa fonte de informação. Muitas vezes os pais percebem sozinhos a necessidade de um acompanhamento profissional para os filhos; outras vezes são os professores que apontam esta necessidade, o que os pais muitas vezes fazem a contragosto. Neste caso, os pais vêm muitas vezes com autodefesas e muito constrangidos, como se eles tivessem "falhado" na educação dos filhos.

A queixa, ou motivo da consulta, deve ser bem explorada e bem analisada.

É importante descobrir, neste momento, se a criança é adotada ou não, se é tolerada, se é bem-amada e qual o nível de "paciência" que os pais demonstram sobre suas dificuldades. Às vezes eles se encontram desiludidos, desmotivados, inconformados e verbalizam estes sentimentos. Outras vezes tentam justificar todas as atitudes de falhas dos filhos a ponto de nos perguntarmos por que eles estão diante de nós.

Este tópico sobre as queixas principais, acredito, é o mais importante dentro da anamnese, pois muitas vezes nesse momento são extraídas todas as informações de que se precisa.

Antecedentes pessoais

O objetivo principal deste item é descobrir se houve algum fato que tenha justificado os problemas apresentados pela criança, como, por exemplo, uma gestação difícil, algum traumatismo do parto e suas primeiras reações emocionais. Descobrimos aí muitas pistas sobre algumas origens das dificuldades que a criança possa estar apresentando.

Desenvolvimento

Neste item procuramos conhecer melhor a criança no tocante à sua saúde, alimentação, sono e desenvolvimento psicomotor. Problemas de saúde como bronquites, alergias, funcionamento glandular e dificuldades respiratórias são muitas vezes responsáveis por uma má integração na escola.

Saber como a criança se alimenta também é fundamental, pois muitas vezes sua alimentação diária é desprovida de elementos nutritivos, sem qualquer qualidade, em prol de guloseimas, salgadinhos, batatinhas, provocando o aparecimento de anemias. Como consequência, percebemos um déficit em sua função cognitiva e principalmente uma diminuição em sua atenção e concentração na escola.

A forma como a criança dorme pode revelar alguma dificuldade de ordem neurológica ou psicológica. Um sono muito agitado, povoado de pesadelos, indica que não houve um relaxamento adequado, talvez por incapacidade de se relaxar ou por possuir algum problema psicológico, que torna-se então necessário investigar.

O desenvolvimento psicomotor deve ser bem explorado. As perguntas que se encontram neste tópico são bem esclarecedoras quanto à forma de educação dos pais e nos dão muitas pistas sobre a defasagem ou não da criança em relação às outras de sua idade. No capítulo 4 encontramos as principais habilidades esperadas em cada idade.

Deve-se aqui procurar investigar se os pais superprotegem os filhos e que argumentos utilizam para isto. Muitas vezes dizem que "precisam" vestir e calçar os filhos (embora afirmem que a criança já saiba fazê-lo) porque "assim vai mais depressa". A falta de habilidade motora das crianças muitas vezes é decorrente de falta de vivência corporal. Este é um assunto que deve ser abordado na orientação aos pais ao final da avaliação.

Escolaridade

A maioria dos fatores deste item já foram abordados quando os pais falaram sobre as queixas e motivos da consulta. Normalmente, procura-se aqui apenas recuperar algumas informações no sentido de explicitar melhor alguns pontos.

Linguagem

Neste tópico, deve-se procurar investigar a idade do início da fala da criança, os possíveis atrasos na linguagem e, sobretudo, como é a comunicação oral atual. Deve-se verificar se existe alguma alteração na comunicação. A falha na linguagem oral pode ter como consequência uma falha na leitura e na escrita.

Sexualidade

Este tópico, dependendo da idade da criança, nem sempre é muito pesquisado. Em pré-adolescentes ou adolescentes deve-se investigar mais pormenorizadamente, com o objetivo de se saber quais as interferências e orientações que estão recebendo.

Aspectos ambientais

É importante conhecer os relacionamentos da criança com a família e com os amigos em geral. Muitas crianças procuram relacionar-se somente com crianças menores ou com adultos. Consegue-se descobrir também toda a dinâmica familiar neste tópico. Podem ser extraídas aqui informações muito ricas em detalhes e esclarecedoras para se compor um quadro das características da personalidade da criança.

Características pessoais e afetivo-emocionais

É importante descobrir algumas características essenciais do comportamento da criança, pois estas poderão estar interferindo na assimilação da aprendizagem escolar. Os informes dos pais sobre os padrões de conduta e traços de caráter e de personalidade dos filhos são muito elucidativos para se conhecer melhor o futuro cliente. A criança que confia em si mesma e se sente segura tem maiores oportunidades de êxito.

Descrição do dia a dia da criança

Saber o que a criança faz todos os dias pode dar uma pista sobre as experiências motoras que ela está vivenciando. Muitas crianças permanecem horas em computadores, na televisão e brincando em *video games*, ficando assim restritas em suas ações, pois na maioria das vezes se encontram sentadas.

É importante descobrir o horário em que a criança vai dormir. Os pais, por não saberem como lidar com ela, deixam que acompanhe seus horários. Com isto, elas não só acabam assistindo a programas de televisão não muito saudáveis para elas, como também ainda acordam muito tarde, prejudicando os horários da escola, do dever de casa e das experiências corporais.

ROTEIRO DE ANAMNESE

Data: _____

Quem trouxe a criança: _____

Grau de parentesco: _____

1. Identificação

Nome: _____

Apelido: _____

Idade: _____ Sexo: _____

Local e data de nascimento: _____

Residência: _____

CEP: _____

Telefone: _____ Cidade: _____

Escola: _____

Escolaridade: _____ Período escolar: _____

Endereço da escola: _____

Telefone da escola: _____

Nome do professor: _____

Obervações: _____

_____

_____

2. Dados familiares

Nome do pai: _____

Grau de instrução: _____Profissão: _____

Idade: _____ Naturalidade: _____

Nome da mãe: _____

Grau de instrução: _____Profissão: _____

Idade: _____ Naturalidade: _____

Religião dos pais:_____

Outros filhos

Nome: _____

Idade: _____ Escolaridade: _____

Nome: _____

Idade: _____ Escolaridade: _____

Nome: _____

Idade: _____ Escolaridade: _____

3. Queixa ou motivo da consulta

_____

_____

_____

_____

Desde quando há o problema? _____

Já procurou outros especialisas? Quais? _____

Está fazendo algum tipo de tratamento médico,
psicológico, psiquiátrico ou neurológico? _____

Por quê? _____

Quem indicou a clínica? _____

4. Antecedentes pessoais

4.1. Gestação

Fez alguma transfusão durante a gravidez? _____

Quando sentiu a criança se mexer? _____

Levou algum tombo? _____

Doenças durante a gestação: _____

Condições de saúde da mãe durante a gravidez: _____

_____

Condições emocionais: _____

Houve algum episódio marcante durante a gravidez?

_____

_____

4.2. Condições de nascimento

Nasceu de quantos meses? _____

Com quantos quilos? _____ Comprimento: _____

Desenvolvimento do parto: _____

Prematuro? _____ A termo? _____

Observações: _____

_____

_____

4.3. Primeiras reações

Chorou logo? _____

Ficou vermelho demais? _____ Por quanto tempo? _____

Ficou preto? _____

Precisou de oxigênio? _____

Ficou ictérico (amarelado, esverdeado)? _____

Observações: _____

_____

5. Desenvolvimento

5.1. Saúde

A criança sofreu algum acidente ou se submeteu a
alguma cirurgia? _____

_____

_____

Possui reações alérgicas? _____

1. Investigação das dificuldades

Tem bronquite ou asma? _____

Apresenta problemas de visão? _____

E de audição? _____

Dor de cabeça? _____

Já desmaiou alguma vez? _____ Quando? _____

Como foi? _____

Teve ou tem convulsões? _____

Há alguém da família que apresenta problemas de
desmaios, convulsões, ataques? _____

Observações: _____
_____
_____

5.2. Alimentação

A criança foi amamentada? _____ Até quando? _____

Como é sua alimentação atual? _____

É forçada a se alimentar? _____

Come sem derrubar a comida? _____

Recebe ajuda na alimentação? _____

Observações: _____
_____
_____

5.3. Sono

A criança dorme bem? _____

Como é seu sono (agitado, tranquilo)? _____

Fala dormindo? _____

É sonâmbulo? _____

Range os dentes (bruxismo)? _____

Dorme em quarto separado dos pais? _____

Com quem dorme? _____

A criança acorda e vai para a cama dos pais? _____

Observações: _____
_____
_____

Avaliação psicomotora à luz...

5.4. Desenvolvimento psicomotor

Como era quando bebê, calmo ou agitado? _____

Em que idade:

• Firmou a cabeça? _____

• Sentou sem apoio? _____

• Engatinhou? _____

• Ficou de pé? _____

• Andou? _____

Quando teve controle dos esfíncteres?

• anal diurno:_____

• anal noturno: _____

• vesical diurno: _____

• vesical noturno: _____

Como foi ensinado esse controle? _____

É lento para realizar alguma tarefa? _____

Veste-se sozinho? ____ Toma banho sozinho? _____

Calça-se sozinho? ____ Sabe dar nós nos sapatos? _____

É desastrado?_____

Anda de bicicleta?_____ Desde quando?_____

Pratica esportes? _____ Quais? _____

É destro ou canhoto?_____

Foi exigido que usasse uma das mãos para escrever

ou comer? _____

Em casa quem escreve com a mão direita?_____

E com a esquerda? _____

Rói unhas? _____ Chupa dedos? _____

Tem outra mania ou *tic*? Qual? _____

Precisa de ajuda para fazer alguma coisa? _____

Observações: _____

_____

_____

6. Escolaridade

A criança gosta de ir à escola? _____

É bem aceita pelos amigos ou é isolada?_____

Já repetiu o ano alguma vez? _____ Por quê?_____

1. Investigação das dificuldades

Gosta de estudar? _____ Tem o hábito de leitura? _____

Faz as lições que os professores passam? _____

Os pais estudam com a criança? _____

Mudou muitas vezes de escola? _____

Por quê? _____

Vai bem em matemática? _____

Tem dificuldade em leitura e escrita? _____

É irrequieta na escola? _____

Em que circunstâncias? _____

Quais as principais dificuldades encontradas na escola? _____

_____

O que os professores acham dela? _____

Observações: _____

_____

_____

7. Linguagem

Quando usou as primeiras palavras com significado? _____

Gagueja? _____ Troca letras quando fala? _____

Relata fatos vivenciados? _____

Em alguma época notou qualquer alteração na

comunicação? _____ Qual? _____

Descreva a comunicação atual: _____

Observações: _____

_____

_____

8. Sexualidade

Foi feita alguma educação sexual? _____ Quem fez? _____

Como foi? _____

Tem curiosidade sexual? _____

Os pais conversam sobre sexualidade com a criança? _____

Observações: _____
_____
_____

9. Aspectos ambientais

Prefere brincar sozinha ou com amigos? _____

Prefere brincar com crianças maiores ou menores que ela?_____

Faz amigos com facilidade? _____

Adapta-se facilmente ao meio? _____

Como é o relacionamento da criança com os pais? _____

E com os irmãos? _____

Quais as medidas disciplinares normalmente usadas com
a criança? _____

Quem as usa? _____

Quais as reações da criança frente a essas medidas?_____

Observações: _____
_____
_____

10. Características pessoais e afetivo-emocionais

Como é a criança sob o ponto de vista emocional? _____
_____

Dentre as características abaixo em quais ela se enquadra mais?

- Agressiva ( )
- Passiva ( )
- Dependente ( )
- Irriequieta ( )
- Medrosa ( )
- Retraída ( )
- Desligada ( )
- Possui atenção, concentração ( )
- Outros: _____

Como reage quando contrariada?_____

Atividades preferidas: _____

Observações: _____
_____
_____

11. Atividades diárias da criança

Descreva o dia a dia da criança desde quando acorda até a

hora de dormir: _____

_____

_____

Gostaria de acrescentar mais alguma coisa? _____

_____

_____

_____

2. CONSULTANDO O PROFESSOR

É muito importante fazer uma enquete junto aos professores e coordenadores da escola, para se descobrir como a criança se comporta e age em um ambiente fora do lar.

Muitas vezes, na anamnese, os pais se utilizam de "defesas" e de justificativas em relação às dificuldades de seus filhos, culpando a escola pelo não aprender. Desta maneira, sua entrevista com o psicólogo ou psicopedagogo pode ser permeada por meias verdades que podem prejudicar a visão geral que se pretende ter do futuro cliente.

São muitos os aspectos que podem ser descobertos na escola: superproteção ou desinteresse dos pais, crianças que apresentam falta de limites, agressividade, falta de atenção e concentração, timidez excessiva, falta de iniciativa e criatividade, relacionamentos conturbados com seus companheiros.

Algumas crianças vindas de um lar superprotetor esperam que seus professores continuem o papel da mãe, isto é, façam por elas o que acreditam não serem capazes de realizar. Ou então mostram falta de limites, o que pode prejudicar seu aprendizado. A imaturidade também pode ser detectada, pois os professores têm condições de informar quais crianças são mais infantis dentro de uma classe.

Outro fator que pode auxiliar um conhecimento melhor do aluno é o depoimento da escola no tocante à atenção e concentração da criança nas aulas e como é sua interação com outras crianças.

Uma entrevista pessoal com os coordenadores da escola é preferível, mas nem sempre possível. Por esta razão, pode-se optar pelo modelo de questionário que mostramos a seguir.

QUESTIONÁRIO PARA OS PROFESSORES

Identificação do aluno:

NOME: _____

IDADE: _____DATA DE NASCIMENTO: _____

ESCOLA: _____

ANO ESCOLAR:_____

NOME DA PROFESSORA: _____

DISCIPLINA:_____

DATA: _____

1. O(a) aluno(a) vai bem na escola? sim _____   não _____
2. Precisa de ajuda para fazer alguma coisa? Para fazer o quê?

_____

3. É irrequieto?_____

   Em que circunstâncias? _____

_____

4. Como reage quando contrariado?_____

_____

5. Tem dificuldades em organizar os cálculos? _____

   Tem bom raciocínio matemático? _____

6. Apresenta dificuldades em Português? _____

   6.1 em ditado? _____

   6.2 em composição livre?_____

   6.3 na escrita? _____

   6.4 a leitura oral apresenta:

   leitura silábica _____ vacilante _____corrente e expressiva _____

   6.5 Apresenta boa compreensão do texto lido? _____

   Explique: _____

1. Investigação das dificuldades

7. Tem alguma outra dificuldade em classe? qual?

_____

_____

8. Em qual destas características o(a) aluno(a) se encaixa mais?

agressivo _____ passivo _____ dependente _____

medroso _____ retraído _____ excitado _____

calmo _____ desligado _____ teimoso_____

sem limites _____ Possui atenção e concentração?_____

Outras características que achar conveniente _____

9. Como é o aluno do ponto de vista emocional?

_____

_____

10. Comparado com os outros alunos, parece ser:

mais infantil ( )

na média ( )

mais amadurecido ( )

Por quê? _____

Observações que julgar convenientes: _____

_____

_____

Objetivos, estratégias e análises

1. Objetivos

A importância do exame psicomotor é comprovada por profissionais como psicólogos, psicopedagogos, neurologistas que o consideram um instrumento valioso para detectar e medir a qualidade de alguns processos psíquicos que estão na origem de diversos comportamentos. Esse exame mede a potencialidade do comportamento da criança, sua aquisição, sua elaboração, integração e regulação.

Carric, Koechlin e Masson (In: MASSON, 1985, p. 58) valorizam o exame psicomotor, afirmando que este se aproxima do exame neurológico pelo fato de serem testadas as diferentes funções do sistema nervoso, como as "estruturas responsáveis pela regulação tônica da motricidade, seja ela reflexa ou mais complexa e as que governam as sensibilidades, a sensorialidade, a afetividade e as funções superiores".

Isto quer dizer que não basta testar as bases da motricidade, mas é necessário também verificar o papel da afetividade, da vivência e das experiências passadas.

Embora tenhamos afirmado que em algumas provas o exame motor se aproxima do exame neurológico, Fonseca (1995) alerta-nos para o fato de que não se deve tentar diagnosticar por meio dele déficits neurológicos, patológicos ou lesões cerebrais, pois este exame não nos fornece informações suficientes para isto.

A avaliação psicomotora é uma ferramenta indispensável a todos os profissionais que trabalham com o corpo.

A maior contribuição deste instrumento de avaliação é fornecer pistas para detectar e identificar crianças com dificuldades psicomotoras que estejam sendo prejudicadas em suas habilidades corporais e, consequentemente, em seu relacionamento efetivo com o meio.

Sabemos que uma criança usa seu corpo como ponto de referência para conhecer e interagir com o mundo que a cerca. Um corpo não organizado, que não lhe obedece, estará prejudicando-a em seu desenvolvimento intelectual, social e mesmo afetivo-emocional, pois não confia em suas potencialidades. Estará também prejudicando a aprendizagem na escola, visto que algumas habilidades psicomotoras são necessárias à aprendizagem e ao próprio desenvolvimento.

Os principais objetivos da avaliação psicomotora são:

1) avaliar as realizações e habilidades psicomotoras da criança e não só as desadaptações que interferem na aprendizagem escolar;

2) verificar a possibilidade motora (habilidade motora), a maturidade neurológica, levando em conta o equipamento neurofisiológico de base;

3) verificar o nível de reflexão cognitiva, uma vez que muitas funções da inteligência têm uma relação estreita com a psicomotricidade;

4) detectar o estilo motor, considerar os elementos da motricidade que definem a execução do ato motor, ou seja, a maneira de estar e de executar de cada criança, levando em conta as diferentes modalidades de integração afetivo-emocional;

5) traçar o perfil de dificuldades que servirá de base para estabelecer um plano de orientação terapêutica, isto é, estabelecer estratégias para uma educação e reeducação mais adequadas.

Segundo esses objetivos o exame psicomotor é um instrumento importante para o reconhecimento precoce de uma dificuldade, para verificar o grau de maturidade psicomotora da criança, além de detectar sinais das discrepâncias evolutivas de muitas crianças em situação de aprendizagem na escola.

Os testes permitem determinar o potencial do agito psicomotor de um sujeito a uma ou diversas atividades em relação à sua idade cronológica (em escalas de desenvolvimento) focalizando o sujeito.

Por outro lado, sabemos que um bom diagnóstico é o primeiro passo para uma reeducação eficaz. Uma utilização essencial para o exame psicomotor é fornecer a base para a formulação de estratégias para uma educação e reeducação mais adequadas.

Uma observação deve ser feita em relação às provas do exame psicomotor. As mesmas provas nunca devem ser aproveitadas também como exercício de reeducação, pois isto invalidaria uma avaliação posterior.

O exame psicomotor, portanto, vem colaborar para um melhor conhecimento integral da criança.

A forma como procedemos à aplicação do exame psicomotor pode dar à criança conotações diferentes. Esta pode se sentir estigmatizada, insegura. Apresentamos a seguir algumas atitudes convenientes que se deve tomar para que a criança se sinta mais segura.

2. ESTRATÉGIAS DE OBSERVAÇÕES PARA A APLICAÇÃO DA AVALIAÇÃO PSICOMOTORA

2.1. Atitudes do examinador

- Deve-se tomar cuidado com o local de exame. Verificar se o lugar reúne condições mínimas, com iluminação e espaço adequados para a execução dos exercícios;
- certificar-se de que o material esteja preparado e organizado *antes* da aplicação do exame motor;
- procurar deixar a criança à vontade, relaxada, eliminando inibições e bloqueios que possam impedir uma observação mais acurada;
- proporcionar um ambiente agradável. Antes da aplicação do exame motor é necessário estabelecer uma relação afetuosa com a criança;

- não se deve menosprezar a importância da voz, do calor e do ritmo das perguntas;
- deve-se ressaltar a importância da qualidade de escutar;
- em especial, o observador deve *respeitar* todas as respostas das crianças sem emitir juízos de valor que possam prejudicar-lhe a espontaneidade.

2.2. Descrição do comportamento da criança

É essencial que se descreva tudo o que se puder observar da criança no decorrer do exame, pois existem variáveis que interferem fortemente nos resultados e outras que dão informações como a criança age e se comporta diante de certas dificuldades.

Deve-se, portanto, observar e descrever:

- o tipo físico da criança (se é alta, franzina, musculosa, atlética, delgada);
- as características raciais;
- se a criança se cansa facilmente;
- atitude e conduta geral da criança como rubor, alterações respiratórias, inibições, ansiedade;
- informações complementares sobre manifestações alérgicas;
- aspectos ortopédicos que possam influir nos resultados das provas (se usa algum aparelho ortopédico);
- se a criança possui tiques ou manias e quando estes gestos se acentuam;
- expressão verbal: timbre de voz, maneira de falar, espontaneidade, maneira de expressão, conteúdo da linguagem;
- se a criança realmente compreendeu as instruções das provas;
- a capacidade de atenção e concentração, isto é, se a criança se dispersa facilmente;
- nível de execução de todos os exercícios:
  - se apresenta dificuldades;
  - velocidade e ritmo de execução;
  - se a fatigabilidade altera a execução;
  - se a inibição impede o desenrolar da ação.

3. Análise Qualitativa e Quantitativa

Após o término do exame motor, pode-se fazer a análise qualitativa, anotando-se todas as respostas das crianças e discutindo os resultados à luz do desenvolvimento da psicomotricidade. Esta análise é mais rica em detalhes e mais minuciosa.

Pode-se também realizar a análise quantitativa e, para isto, somam-se os pontos obtidos em cada prova de acordo com as tabelas de pontuação propostas. Em seguida, transcreve-se estes resultados para as escalas correspondentes, construindo um perfil de todas as habilidades do desenvolvimento psicomotor.

De acordo com o número de pontos, podemos definir a idade motora da criança, bem como situar as fases pelas quais está passando em cada habilidade, conforme ilustra o capítulo 4.

É importante salientar que para chegar a estes dados a autora realizou pesquisas ao longo de 5 anos, com crianças de ambos os sexos, que não apresentavam problemas motores e com idade variando de 3 a 13 anos assim dispostas:

a) primeiramente, com o objetivo de selecionar as provas psicomotoras de fácil aplicação e compreensão foram avaliadas 250 crianças;

b) após a escolha de todas as provas foram pesquisadas mais 200 crianças, com o objetivo de padronizar as respostas mais elucidativas de cada idade.

Ao final, foi realizada uma análise estatística descritiva, com cálculo de porcentagem da frequência de cada prova. Nesta obra não estaremos apresentando estes dados estatísticos, pois isto iria se mostrar muito longo e exaustivo.

Avaliação psicomotora

1. Normas e instruções

1.1. Lista de material necessário

- 1 cronômetro;
- várias folhas de papel sulfite branco, tamanho ofício;
- 1 tesoura sem ponta;
- 1 pedaço de cartolina de 25cm x 15cm com um furo central de 0,5cm de diâmetro;
- 1 caleidoscópio;
- 1 taco de madeira de 3cm de altura e superfície de 5cm x 5cm;
- bolinhas de cores diferentes, vermelha, azul e verde;
- vários lápis pretos bem apontados;
- 6 desenhos iguais de tamanhos diferentes ou 6 objetos de mesma classificação (exemplos: frutas, animais) obedecendo a uma progressão de tamanho, exemplos no anexo 6;
- 1 caixa de 12 lápis de cor;
- 1 caixa de fósforos;
- 3 jogos de sequência lógica do tempo, para cada nível de idade (modelos no anexo 7);
- 1 relógio não digital.

1.2. Orientações para aplicação e pontuação das provas

Para facilitar ao leitor a análise e entendimento geral do texto, gostaríamos de informar que procuramos obedecer a algumas condutas comuns, apresentando em todas as provas:

1) *Breve explanação* do significado e objetivo de cada prova. Explicações mais detalhadas podem ser encontradas no livro *Psicomotricidade – Educação e reeducação num enfoque psicopedagógico*, da autora.

2. *Orientações gerais de aplicação*: neste item encontram-se as instruções necessárias para a realização da avaliação psicomotora.

3. *Formas de avaliação*: são apresentados todos os aspectos que devem ser observados no comportamento do examinando, bem como o procedimento para a avaliação e a pontuação.

4. *Somatória das habilidades*: após a transcrição de todos os resultados na ficha de avaliação, deve-se somar cada conjunto de habilidades: coordenação e equilíbrio, esquema corporal, lateralidade, organização e estruturação espacial, organização e estruturação temporal.

5. *Idade psicomotora*: de acordo com a somatória acima mencionada, pode-se descobrir o estágio em que a criança se encontra em cada habilidade e, consequentemente, chegar à idade psicomotora, levando em consideração as fases da evolução psicomotora propostas no capítulo 4.

1.3. Instruções gerais
As condutas motoras de base
I. Coordenação e equilíbrio

a) *Coordenação*: nas provas de coordenação procura-se o grau de maturidade das estruturas visuomotoras. Observa-se também a facilidade dos gestos e a regulação tônica.

a.1) *Coordenação global*: equilíbrio subordinado às sensações proprioceptivas, cinestésicas e labirínticas; coordenação dos movimentos e conscientização do corpo e suas posturas.

Orientação geral para a aplicação da prova

1. Andar

Instruções: pedir para a criança andar uma distância aproximada de 5m e observá-la. Esta observação deve ser feita também em sua atividade espontânea.

3. Avaliação psicomotora

2. Correr

Instruções: pedir para a criança correr em uma determinada direção e observar.

3. Dismetria (proposto por Ozeretzki[1])

a) De olhos abertos

Instruções: colocar-se diante da criança e, com os braços estendidos lateralmente, tocar a ponta do nariz com a extremidade do indicador, com um braço de cada vez. Ordenar que a criança execute o movimento junto com o examinador. Interromper o seu movimento e pedir para que continue sozinha. Observar.

b) Dismetria de olhos fechados

Instruções: pedir para a criança executar o mesmo movimento com os olhos fechados, como mostra a figura abaixo.

---

1. LALONI, D.T. & COELHO, M.V. *Adaptação brasileira do exame motor de Soubiran*. Apostila da Puc-Campinas.

4. Postura ao sentar para escrever, desenhar ou recortar

Observar sua postura em todas as provas em que se exijam estas habilidades.

Avaliação da prova

Aspectos a serem observados:

- verificar se a criança não apresenta problemas morfológicos ou má estrutura física;
- no andar: desenvoltura, rigidez, posição do corpo, balanceio dos braços, a maneira da elaboração dos movimentos;
- tensão dos músculos;
- presença de sincinesias;
- coordenação dos movimentos e conscientização do corpo;
- capacidade de inibição voluntária;
- postura ao sentar – atitude global durante a atividade estática. Posição do tronco, da bacia, da cabeça, da coluna vertebral. O dorso tem que estar reto, os pés apoiados no solo, os joelhos em ângulo reto, apoio do antebraço e do punho, estabilidade da mão.

Pontuação	Desempenho da criança
2	Realização perfeita, econômica, harmoniosa, precisa, postura correta ao sentar.
1	Realização com algumas dificuldades de controle, com pequena tensão e pequena rigidez, sincinesias leves. Postura ao sentar com ligeiros desvios, posição meio inclinada, segurando a cabeça.
0	Falha na realização dos movimentos, desequilíbrio, falha na coordenação, rigidez, paratonia, grande tensão muscular. Postura ao sentar incorreta: inclinada ou deitada, prejudicando a execução das atividades.

a.2) *Dissociação de movimentos*[2]: realização de múltiplos movimentos ao mesmo tempo. Capacidade de individualizar os segmentos corporais que tomam parte na execução de um gesto intencional. Possibilidade de independência dos vários segmentos corporais.

Orientação geral para a aplicação da prova

1. Abrir e fechar as mãos alternadamente

Instruções: sentar-se diante de uma mesa com a criança do outro lado. Colocar as mãos sobre a mesa (uma deve permanecer aberta e a outra fechada) e executar o movimento de abrir e fechar as mãos alternadamente. Pedir para a criança executar o mesmo movimento junto com o aplicador, como se fosse um espelho. Interromper e pedir que ela continue sozinha. Observar.

2. Dissociação entre mãos direita e esquerda (D. ou E.)

Instruções: seguir a mesma posição anterior. Bater as duas mãos simultaneamente sobre a mesa, depois uma, depois as duas novamente, depois a outra e continuar assim sucessivamente. Iniciar o movimento junto com a criança e deixá-la continuar sozinha. Observar.

3. Dissociação entre pés e mãos sucessivamente

Instruções: com um ritmo regular, bater um pé no chão e depois bater palma; bater o outro pé e depois palma e assim sucessivamente. Iniciar o movimento junto com a criança e deixá-la continuar sozinha. Observar.

Avaliação da prova

Aspectos a serem observados:
- postura;
- aparecimento de sincinesias (de boca, de olho...);

---

2. LANONI, D.T. & COELHO, M.V. *Adaptação brasileira do exame motor de Soubiran.* Apostila da Puc-Campinas.

- se apresenta tensão e rigidez;
- grau de dificuldade do controle mental do gesto;
- independência dos membros.

Pontuação	Desempenho da criança
2	Realização dos diversos movimentos ao mesmo tempo, com independência dos segmentos corporais, obedecendo ao ritmo e sem apresentar sincinesias.
1	Realização de movimentos com algumas dificuldades de controle, sincinesias leves.
0	Dificuldade de controle de gestos, apresentando sincinesias mais evidentes, grande tensão muscular e sem obedecer ao ritmo.

a.3) *Coordenação fina e oculomanual*: habilidades essenciais para o domínio e destreza do gesto e do instrumento, aliadas ao controle e coordenação ocular. Na coordenação oculomanual mede-se a capacidade de manter a visão ao executar o movimento.

Orientação geral para a aplicação da prova

1. Recorte – Teste ABC de Lourenço Filho[3]

Encontra-se no *Anexo 1*.

Entregar para a criança uma folha de papel sulfite impressa com as figuras.

Obs.: o desenho deve ir até as extremidades do papel, para facilitar o recorte.

Instruções: "Você vai recortar o desenho entre os dois traços, o mais rápido que puder; assim..." (começa-se o trabalho e, em seguida, coloca-se a tesoura em cima da mesa). "Você pode começar. Após 1 minuto, pede-se que pare. Depois pede-se que recorte o outro desenho.

---

3. MASSON, 1985, p. 113.

Conceder um minuto para cada recorte.

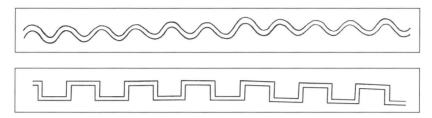

Pontuação	Desempenho da criança
2	Se a criança recortar mais do que a metade de cada desenho em um minuto (para cada um) respeitando o traçado.
1	Se recortar menos do que metade de cada desenho, respeitando o traçado, mesmo que um só desenho tenha tido êxito.
0	Se recortar menos do que a metade de cada desenho, sem respeitar o traçado.

2. Coordenação dinâmica das mãos[4]

Instruções: os braços devem estar dobrados à altura do cotovelo. Com a ponta do polegar, tocar com a máxima velocidade possível, e um depois do outro, os dedos da mão, começando pelo dedo mínimo e voltando outra vez para ele (5-4-3-2-2-3-4-5).

Fazer o mesmo exercício com a outra mão. A criança não deve olhar para as mãos.

Prova realizada com boa coordenação a partir de 8 anos.

---

4. GUILMAIN, E. *Tests motours et psychomoteurs* – Foyer Central d'higiéne.

Pontuação	Desempenho da criança
2	Executar o movimento mostrando uma perfeita coordenação fina.
1	Executar o movimento com insegurança e pequenas falhas, como esquecer de tocar um dedo.
0	Tocar mais de duas vezes o mesmo dedo.

3. Prova dos labirintos[5]

Encontra-se no *Anexo 2*.

Instruções: coloca-se a criança sentada à mesa em frente aos labirintos. Pedir-lhe para traçar com lápis, sem levantá-lo da folha, uma linha ininterrupta, da entrada até a saída do primeiro labirinto. Depois de 30 segundos de repouso, fazer o outro labirinto.

Prova realizada a partir de 6 anos (tamanho real do labirinto: 4,5 x 7cm).

Duração: 30 segundos para cada labirinto.

---

5. Teste de Ozeretski, citado anteriormente, adaptação realizada pela autora deste exame. O teste original era realizado com a mão direita e com a esquerda, para a verificação da dominância. Optou-se por uma só mão, para verificar somente a coordenação. Outra modificação foi o tempo de execução de 1 minuto para 30 segundos cada labirinto.

Pontuação	Desempenho da criança
2	Traçado em tempo hábil, com precisão, acompanhando o desenho, sem sair fora do labirinto, linha ininterrupta nas duas figuras.
1	Traçado no tempo certo, mas tirando o lápis do lugar, traçado irregular, mesmo que tenha um labirinto correto.
0	A linha sai do labirinto mais de 2 vezes ou ultrapassa o tempo-limite em qualquer dos labirintos.

4. Circunvolução no ar[6] (Coordenação oculomanual)

Pode-se observar o controle visual em todas as provas de coordenação fina além desta prova específica.

Instruções: pedir à criança que execute uma grande circunvolução no ar com o indicador de um dos braços estendido para frente (deixá-la livre para escolher o lado) e que acompanhe somente com os olhos os seus movimentos, sem virar a cabeça. Observar.

---

6. LALONI, D.T. & COELHO, M.V. *Adaptação brasileira do exame motor de Soubiran*. Apostila da Puc-Campinas.

Pontuação	Desempenho da criança
2	Domínio do gesto aliado ao controle e coordenação ocular.
1	Se a criança desvia o olhar por alguns instantes.
0	Incapacidade de manter a visão em sua mão ao executar o movimento.

5. Forma de preensão do lápis

Verificar, em todos os exercícios gráficos, a forma de preensão do lápis, de acordo com os desenhos a seguir.

Pontuação	Desempenho da criança
2	Preensão correta do lápis denotando possuir coordenação, tonicidade muscular normal, letra legível e do mesmo tamanho.
1	Preensão correta do lápis mas apresentando rotação da folha ou com o braço curvo; *ou* letras de tamanhos diferentes na mesma palavra.
0	Preensão incorreta com má coordenação fina, letra irreconhecível, escrita com muita lentidão prejudicando a coordenação fina; hipotonicidade ou hipertonicidade.

Aspectos a serem observados para todas as provas de coordenação fina:

- manuseio do lápis (forma de preensão) e tensão ao escrever;
- inclinação do braço e da mão em relação à folha;
- manuseio da tesoura: destreza, velocidade e respeito aos limites das figuras no desenho;
- elaboração dos movimentos, sem a presença de sincinesias;
- capacidade de inibição voluntária;
- verificar se a criança acompanha seus gestos com o olhar, possuindo controle ocular, ou se desvia o olhar, e para onde o desvia.

Formas de preensão do lápis
Preensões corretas

1. Preensão mais correta

Mão direita

Mão esquerda

Nota-se que as posturas também estão corretas.

2. Dedos próximos à ponta do lápis

3. Pega normal com o braço curvo apresentando rotação da folha

4. Polegar ligeiramente em cima do indicador

5. Lápis perpendicular à folha

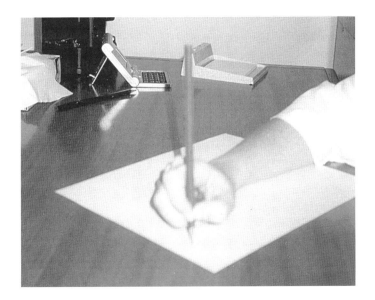

Preensões incorretas

6. Indicador enlaçando o polegar

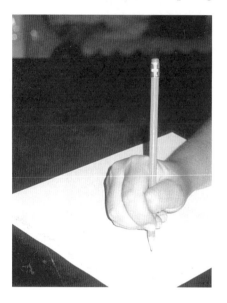

7. Dois dedos e polegar

8. Três dedos e polegar

9. Pega com o polegar e o dedo médio

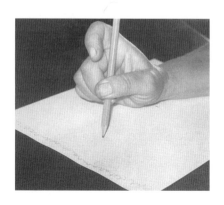

3. Avaliação psicomotora

10. Lápis entre o indicador e o dedo médio

11. Indicador enlaçando o lápis e o polegar enlaçando o indicador

12. Preensão palmar

b) *Equilíbrio* (extraído da Prova I do teste de Ozeretski e Guilman[7]): o equilíbrio auxilia a motricidade global. Esta prova mede a possibilidade ou não de a criança manter a postura e o equilíbrio estático e dinâmico em distintas situações experimentais.

Nos exercícios de olhos fechados entram em jogo as sensações e percepções internas e dependem de um grau maior de maturação. Ao cerrar os olhos a criança priva-se de um certo controle sobre os dados exteriores.

b.1) *Equilíbrio estático*: a realização desta prova apela a uma regulação postural simples. Sua execução requer que intervenham as funções de percepção e representação do corpo no espaço.

Orientação geral para a aplicação da prova

1. Imobilidade

Instruções: solicitar que a criança se coloque em pé, com os braços caídos lateralmente, pernas ligeiramente abertas e olhos fechados. Pedir que permaneça assim, imóvel, durante um minuto. Observar.

2. Um pé só, de olhos fechados

Instruções: pedir para a criança, com os olhos fechados, manter-se sobre uma das pernas, enquanto a outra permanece em ângulo reto à altura do joelho; mãos ao longo

---
7. MASSON, 1985, p. 105-108.

do corpo. Depois de 3 segundos de repouso, recomeçar com a outra perna. Duração: 10s.

Avaliação da prova

Aspectos a serem observados:

- imobilidade ou balanceio do corpo;
- se a criança apresenta tensão, rigidez ou postura correta;
- se existe abdução dos braços (eles se elevam para manter o equilíbrio);
- presença de sincinesias;
- se permanece de olhos fechados;
- diferença de qualidade de um lado para outro.

Pontuação	Desempenho da criança
2	Realização perfeita, econômica, harmoniosa, precisa, postura correta.
1	Realização com algumas dificuldades de controle, ligeiros balanceios, com pequena tensão e pequena rigidez, sincinesias leves.
0	Falha na realização dos movimentos, desequilíbrio, incoordenação, rigidez, paratonia, grande tensão muscular.

b.2) *Equilíbrio dinâmico*: o equilíbrio dinâmico é dependente da coordenação global.

Orientação geral para a aplicação da prova

1. Saltar com um pé só de olhos abertos (codificado por Ozeretzki[8])

Instruções: com os olhos abertos, saltar por uma distância aproximada de 5m sobre uma das pernas, enquanto a outra permanece dobrada em ângulo reto, as mãos ao longo do corpo.

Pedir para saltar com a outra perna. Esta prova também serve para a verificação da dominância lateral. Não se considera o tempo.

2. Saltar batendo palmas

Instruções: a criança deve saltar no mesmo lugar o mais alto que puder. Quando estiver no alto bater três vezes as mãos. Cair sobre as pontas dos pés.

São permitidas 3 tentativas (realizações mais satisfatórias a partir de 9-10 anos).

Avaliação da prova

Aspectos a serem observados:

- procura do eixo corporal;
- observar a escolha do lado direito ou esquerdo e a diferença de execução entre os dois lados;
- postura;
- rapidez ou lentidão ao executar as tarefas;
- coordenação global;
- mesmas observações do equilíbrio estático.

Pontuação	Desempenho da criança
2	Realização perfeita, econômica, harmoniosa, precisa, postura correta; bater 3 palmas no exercício 2.
1	Realização com algumas dificuldades de controle, com pequena tensão e pequena rigidez, sincinesias leves; bater 2 vezes as mãos no exercício 2.
0	Falha na realização dos movimentos, desequilíbrio, incoordenação, rigidez, paratonia, grande tensão muscular. Bater 1 ou nenhuma vez as mãos no exercício 2.

8. GUILMAN, E., 1948.

Habilidades psicomotoras

I. Esquema corporal

O esquema corporal verifica a organização de si mesmo como ponto de partida para a descoberta das diversas possibilidades de ação (OLIVEIRA, 2010).

Esta organização leva a uma percepção e controle do próprio corpo por meio da interiorização das sensações. Pela interiorização a criança volta-se para si mesma, possibilitando uma automatização das primeiras aquisições motoras. A interiorização é uma forma de atenção perceptiva centrada no próprio corpo que permite à criança tomar consciência de suas características corporais. Garante também a representação mental de seu corpo, dos objetos e do mundo em que vive. É uma tomada de consciência por parte da criança das possibilidades motoras e de suas possibilidades de agir e de expressar-se. Esta prova permite, pois, medir com precisão o nível de conhecimento que o sujeito tem de seu corpo, por meio de uma construção.

Estão presentes também os aspectos cognitivos do esquema corporal.

a) *Desenho da figura humana, mais especificamente desenho de si mesmo*[9]: conhecimento da visão que a criança tem de si. Representação gráfica de sua imagem mental. A criança desenha o ser humano em função do conhecimento que possui de si mesma, do que sabe e do que sente e não somente do que vê. Supõe uma visão do espaço interno e externo (OLÉRON. In: DOURET, 1998). Por visão interna entende a percepção proprioceptiva, cinestésica e labiríntica e, por visão externa, seus limites, a visão do corpo do outro ou de seu próprio corpo visto em espelho.

Além disso, o desenho da figura humana é uma forma de linguagem, de expressão de si e evolui com a idade e o desenvolvimento intelectual e afetivo da criança.

---

9. Extraído do teste da figura humana de Florence Goodenough e modificado por Picq e Vayer, 1985.

> *Observação:* nesta prova o psicopedagogo poderá realizar somente a análise psicomotora da representação mental do conhecimento que a criança tem de si mesma. Ela desenha o que conhece, sente e vê. O psicólogo poderá realizar uma análise psicológica mais aprofundada, como a determinação do nível mental e também como diagnóstico da personalidade.

Como já dissemos, o desenho da figura humana evolui de acordo com a idade:

- 3 anos aproximadamente – a criança desenha uns rabiscos; um círculo com duas linhas simétricas indicando os braços; podem surgir também duas linhas descendentes, imitando as pernas. Estes rabiscos são um esboço da representação do corpo.
- 4½ anos – dois círculos (um é a cabeça e o outro o corpo); já aparecem o olho, a boca e o nariz. É ainda muito rudimentar.
- 6 anos – a figura já se parece mais com o real, pois começa a se estruturar sua imagem de corpo; começam a aparecer alguns detalhes como vestimentas, brinco, chapéu; no lugar dos dedos, a criança desenha uma bola imitando as mãos, ou então não coloca o número correto de dedos.
- 8 anos – a figura se mostra correta, já aparecem os cinco dedos; o pescoço; a figura ainda é esquematizada; aparecem figuras de perfil; a imagem é mais rica em detalhes.
- 9 anos – a imagem de corpo se parece mais com o real; verifica-se a diferenciação dos sexos por meio das vestimentas; figuras ricas em detalhes, com todas as partes do corpo.

A partir de 10 anos há a introdução de fatores sociais como pormenores de vestuário, aparecem esboços de movimentos, o desenho torna-se mais rico, mais personalizado e mais próximo do real.

Observação geral para a aplicação da prova

Instruções: entregar à criança uma folha de papel sulfite e um lápis preto, com a seguinte recomendação: "Peço-lhe que desenhe a si mesma. Faça um belo desenho de corpo inteiro. Pode usar a borracha, mas não pinte o desenho". Observar.

3. Avaliação psicomotora

Avaliação da prova

Deve-se anotar aqui todo o comportamento da criança durante a prova, como por exemplo: seus comentários, por onde começa e termina o desenho, se trocou de sexo.

Mais à frente são apresentados alguns exemplos de pontuação para esta prova.

Aspectos a serem observados:

- quantidade e riqueza de detalhes desenhados;
- posição da folha;
- altura total do desenho e o eixo mediano;
- semelhança com o real;
- por onde começa o desenho;
- traçados;
- orientação espacial no papel;
- estruturação do desenho (se obedece à proporção, ao número e à posição das partes).

Pontuação	Desempenho da criança
10	Se a criança obedece à proporção, número e posição das partes do desenho, denotando possuir uma representação mental correta; figura rica em detalhes; semelhança com o real; orientação espacial no papel; verifica-se a diferenciação dos sexos pelas vestimentas elaboradas; presença de mãos, antebraços, pernas, pés; figuras em movimento.
8	Desenho pobre, com poucos detalhes, mas obedecendo ao número e posição das partes do desenho; com orientação espacial no papel. Boas proporções de cabeça, tronco e membros, com três detalhes de roupa; presença dos ombros, cintura e pescoço.
6	Desenho pobre, sem detalhes, faltando uma ou duas partes essenciais do corpo (número errado dos dedos, sem cintura, sem ombro ou pescoço); poucas distorções; pernas muito longas ou muito curtas; figura muito pequena ou muito grande, com falta de orientação espacial, fazendo a figura muito no canto ou no alto da folha.

4	Desenho muito pobre faltando mais de três detalhes essenciais do corpo; sem respeitar a proporção, número e posição das partes da figura humana, com algumas distorções; tronco muito longo, falta de delineamento de onde começam as pernas e braços.
2	Desenho em "palito", apenas delineando uma figura humana.
0	Traçados irregulares; desenho incompleto, fragmentado, irreconhecível, com distorções.

Exemplos de pontuação para o desenho da figura humana

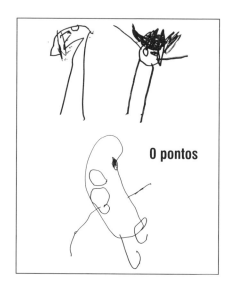

3. Avaliação psicomotora

4 pontos

6 pontos

8 pontos

10 pontos

b) *Relaxamento*: verifica o comando e o controle sobre o corpo; capacidade de controle de relaxamento muscular. Esta prova está muito ligada aos aspectos afetivos e neurológicos.

Orientação geral para a aplicação da prova

1. Controle sobre o corpo

O experimentador dá os comandos:

a) "deixe os braços bem duros, bem moles";

b) "deixe as pernas bem duras, bem moles";

c) "deixe o pescoço duro, mole";

d) "deixe o corpo todo duro, mole".

2. Balanceio dos ombros[10]

Instruções: a criança fica em pé, de frente para o examinador, com os braços caídos ao longo do corpo. Dizer: "Deixe os dois braços completamente relaxados, como um trapo". Segurar a criança pelos ombros e movê-los lateralmente, para a frente e para trás, de maneira que se provoquem oscilações dos braços. Observar.

3. Relaxamento dos braços[11]

Instruções: coloca-se a criança sentada num banco estreito, ficar de frente para ela, segurar um de seus braços dobrado na altura do cotovelo e dizer: "Vou levantar seu braço, mas você não deve me ajudar". Pedir para que o solte deixando-o totalmente apoiado sobre sua mão. Levantar suavemente o braço e imprimir-lhe um movimento de balanceio. Sem largar seu cotovelo, soltar sua mão rapidamente de maneira que este caia num movimento de pêndulo.

Observar. Repetir, se necessário. Fazer também com o outro braço.

---

10. BUCHER, 1978, p. 32-33.
11. SOUBIRAN, adaptação de Laloni e Coelho.

4. Relaxamento das mãos

Instruções: na mesma posição, segurar a mão da criança com uma mão no punho e, com a outra, elevar a mão e soltar. Observar. Repetir a mesma prova com a outra mão.

Avaliação da prova

Aspectos a serem observados:
- observar se a queda é livre, se apresenta o movimento de pêndulo;
- capacidade de relaxar-se, pelo cumprimento da instrução;
- presença de tensões musculares, participação dos movimentos (*prestance*);
- bloqueios e sobressaltos dos ombros e das mãos;
- diferenças entre um lado e outro;
- se há resistência, um freio;
- se demora para relaxar;
- se relaxa e torna a contrair-se;
- paratonia: incapacidade de descontração voluntária.

Pontuação	Desempenho da criança
2	Capacidade de relaxar-se, controle sobre o corpo, queda livre, sem tensões ou bloqueios.
1	Se a criança não consegue relaxar-se imediatamente; presença de ligeiras tensões musculares.
0	Se a criança não possui controle sobre o corpo, apresentando bloqueios, paratonias ou incapacidade de descontração voluntária.

c) *Conhecimento das partes do corpo*

Todo objeto, no momento em que é nomeado, faz o papel de organizador do espaço. A nominação confirma o que é percebido, reafirma o que é conhecido e permite verbalizar aquilo que é vivenciado. As provas que exigem da criança que designe o nome das diferentes partes do corpo recaem sobre os aspectos ligados ao desenvolvimento da linguagem e do vocabulário e dependem também de seu nível intelectual.

Orientação geral para a aplicação da prova

Instruções: o observador nomeia as partes do corpo e pede que a criança as localize em si mesma.

> *Observação:* com o intuito de não se alongar muito nesta prova, não se exigiu o conhecimento de todas as partes do corpo. Entretanto, caso haja necessidade, investigar mais algumas. A tabela de aquisições por idade encontra se no capítulo 4.

Aspecto a ser observado:
- se a criança conhece sem hesitações suas partes do corpo.

> Avaliação: 0,5 ponto por resposta correta.

d) *Imitação de atitudes* – aspectos visuocinéticos[12] (anexo 4)

Esta prova verifica a percepção e o sentido muscular, o controle do próprio corpo, o nível de aquisição do esquema corporal, permite também apreciar o grau de maturação do conhecimento ou percepção da coordenação dos movimentos necessários para a execução da ação.

Também requer a transposição de um padrão perceptivo-visual a um padrão motor para que reproduza o movimento visto. Verificam-se também as principais orientações em relação à verticalidade e horizontalidade do eixo corporal.

Ajuriaguerra, analisando as ideias de Piaget (In: DOURET, 1998, p. 38), afirma que:

> [...] uma coisa é a ação no espaço, e outra é a representação no espaço e o espaço representado com suas possíveis investigações. [...] Entre a execução de um ato complexo e a representação deste ato há todo um período de transição que vai do período de imitação simples ao período de operatividade...

Piaget ainda afirma que "[...] os aspectos progressivos do pensamento derivam da imitação e é esta imitação que assegura a passagem do sensório-motor ao pensamento representativo, preparando o simbolismo necessário àquele".

Nas provas do contrário: pode-se constatar uma reversibilidade de ação e de imagem, que atinge o estágio operacional. Percebe-se o início dos aspectos operatórios com base no conhecimento corporal. A noção dos contrários é adquirida geralmente a partir de 6 anos de idade.

Orientação geral para a aplicação da prova

d.1) *Imitação de gestos simples e complexos*

Nas próximas provas o examinador deve colocar-se em pé, de frente para a criança, a uns dois ou três metros de distância, e pedir-lhe que copie a mesma posição em que está, como se estivesse em um espelho. Não se deve dar nenhuma instrução oral de como são feitos os gestos.

---

12. Extraído de algumas figuras de: BERGÈS & LEZINE. *Test d'imitation de gestes*, 1963, e DOURET, L.V. 1998, p. 42-49.

3. Avaliação psicomotora

1. Braço esquerdo levantado e braço direito virado para a direita.

2. Mão esquerda inclinada no nível do esterno, mão e braços direitos inclinados a 30cm entre as duas mãos; mão direita abaixo da esquerda.

3. O polegar e o dedo mínimo se tocam. Os outros dedos permanecem dobrados.

d.2) *Imitação dos contrários*

Colocar-se novamente na mesma posição, dar a mesma ordem anterior, pedindo, porém, que a criança faça o contrário do que faz o examinador, com a mesma mão que ele. Não deve dar mais nenhuma explicação.

1. Os dois braços abertos obliquamente inclinados, mão esquerda no alto e mão direita embaixo; o tronco deve permanecer direito.

3. Avaliação psicomotora

2. Braço esquerdo virado para a frente e braço direito levantado para o alto (os ângulos devem estar corretos).

3. Mão direita vertical, mão esquerda horizontal encostada na mão direita, em ângulo reto.

Avaliação da prova

Aspectos a serem observados:

- postura, atenção;
- se inverte D. e E.;
- ângulos e posição do corpo;
- capacidade de controle das extremidades superiores;
- realização correta nas provas dos contrários.

Pontuação	Desempenho da criança
1	Respostas imediatas, respeitando a forma; capacidade de controle gestual; movimento respeitando os ângulos e posições dos braços e mão com segurança.
0	Alteração da forma do modelo; erro de orientação no sentido da verticalidade ou horizontalidade; realização imperfeita, com distorções.

II. Lateralidade

Esta prova é de fundamental importância para se verificar se a criança é destra, canhota, ambidestra, se possui lateralidade cruzada ou mal definida (OLIVEIRA, 2010). A dominância é examinada em relação à força, precisão, habilidade e velocidade dos movimentos, no olho, mão e pé (não iremos examinar aqui a dominância auricular e bucal). A dominância lateral observa-se ao longo de todo o exame psicomotor e não somente nestas provas específicas.

a) *Verificação da dominância* – orientação geral para a aplicação da prova

Observação: a escrita está sujeita às influências das aprendizagens escolar e social. Por este motivo serão levados em conta outros movimentos para a verificação da dominância manual.

3. Avaliação psicomotora

a.1) Dominância manual

Instruções:

1. Atividade da vida diária: pentear-se. Com um pente sempre limpo e esterilizado pedir para a criança se pentear, ou, se seu cabelo estiver preso, simular os gestos. Pedir depois para se pentear com a outra mão. Anotar que mão utilizou primeiro e qual possui mais naturalidade.

2. Jogar uma bola: pedir para a criança jogar uma bolinha de borracha, de uma mão para outra, em um ritmo rápido e, a um comando, jogá-la para o examinador. Observar qual mão foi utilizada e se houve coordenação. Fazer este movimento mais 3 vezes, para confirmar sua dominância.

> *Observação:* se a criança usar cada vez uma mão para jogar a bola, verificar qual lado teve maior coordenação e dar os pontos para ele.

3. Números de 1 a 12[13]: pedir para a criança escrever simultaneamente, com as duas mãos, sem controle visual, os números de 1 a 12, de cima para baixo da folha como mostra a figura abaixo e a uma distância de no mínimo 10cm uma mão da outra, o mais rápido possível. Deixar que olhe somente o número 1, após isto deve-se colocar um anteparo cobrindo a folha. Verificar a mão que comanda o gesto, de acordo com a pressão, controle gestual, organização do espaço e inversões (esta prova é melhor realizada a partir de 7 anos). Fazer a comparação entre os 2 lados e dar os pontos somente para a mão com melhor execução e verificar:

– se não espelha nenhum número

– se os números são bem formados

– se os números não se misturam, isto é, um não fica em cima do outro.

---
13. DEFONTAINE, J. Vol. 3. 1980, p. 222 e MASSON, E. 1985, p. 119.

4. Prova de marionetes (Diadococinesia)[14]: prova específica de Zazzo e N. Galifret-Granjon. Esta prova verifica, além da coordenação fina, a dominância lateral.

Colocar-se diante da criança com os braços dobrados na altura do cotovelo. A mão gira rapidamente sobre o pulso (movimento alternado de pronação e supinação).

Pedir para a criança executar o movimento junto com o aplicador. Interromper o movimento e pedir para ela fazer o mais depressa possível com sua mão (qualquer uma), sem movimentar o cotovelo ou o braço. Pedir, depois, que faça o mesmo com a outra mão.

> *Observação:* se houver dúvida, a criança deve executar o movimento por 2 ou 3 vezes novamente, até que o observador perceba uma diferença entre os lados direito e esquerdo, ou até que se certifique que os dois lados são realmente iguais.

Verifica-se aqui mais a flexibilidade e a rapidez do movimento e não tanto as sincinesias, embora estas possam dar uma pista sobre a mão mais flexível. Deverão ser anotadas as deformações dos movimentos (do cotovelo, dos dedos e se apresenta rigidez).

a.2) *Dominância ocular* – prova específica de Zazzo e N. Galifret-Granjon[15]

Instruções:

1. *sighting*: com as duas mãos

O observador apresenta um pedaço de cartolina de 25cm x 15cm com um furo de 0,5cm de diâmetro no centro e diz à criança: "Olhe, você está vendo a tomada elétrica lá embaixo, na parede (ou qualquer outro objeto de tamanho reduzido)? Eu vou lhe dar este cartão furado e você vai segurá-lo com as duas mãos e olhar para a tomada pelo buraco do cartão, assim (demonstração). Com os braços esten-

---

14. ZAZZO, R. 1981, p. 28.
15. ZAZZO, R. 1981 e MASSON, 1985.

didos e os dois olhos abertos você procura a tomada e, quando a descobrir, aproxime lentamente o cartão de um de seus olhos sem deixar de olhá-la. Agora, tome o cartão".

Anota-se que o olho que é aproximado do furo do cartão é o olho "diretor".

2. Pedir para a criança olhar pelo buraco da fechadura ou em um caleidoscópio. Verificar qual é o olho diretor.

a.3) *Dominância pedal* – prova específica de Zazzo e N. Galifret-Granjon[16]

1. Jogo da amarelinha

Traçar uma linha reta no chão. Colocar o taco de madeira no início.

Instruções: "Você vai fazer como se estivesse jogando amarelinha: pulando com um só pé até lá no fundo da sala. Você vai dando pequenas batidas neste pedaço de madeira para conduzi-lo suavemente, até o fim, sempre seguindo esta linha. Pode começar".

---
16. ZAZZO, R. 1981, p. 30 e MASSON, 1985.

Prestar atenção para colocar o pedaço de madeira no centro e não diante de um só pé. Insistir para que a criança fique sempre com um pé só e conduza o taco de madeira diante dele. Anota-se o pé escolhido espontaneamente. Em seguida, recomenda-se que realize com o outro pé (mesmas anotações das provas anteriores).

2. Chutar

Colocar um alvo à frente da criança a aproximadamente 5m. Pode ser um cesto de lixo, um anteparo de madeira ou outro objeto qualquer.

Instruções: "Agora você vai dar um chute numa bola de borracha. Chute bem forte e tente bater no alvo". Anota-se o lado do pé escolhido espontaneamente e depois repetir com o outro pé. Comparar.

> *Observação:* tomar cuidado ao observar esta prova, pois muitas crianças pequenas sentem-se mais seguras quando colocam o pé dominante no chão e acabam chutando com o pé não dominante. Repetir a prova, insistindo que deve chutar com bastante precisão, mirando o alvo. Se ainda assim restar alguma dúvida, pede-se que escreva ou simule algum desenho no chão com os dedos do pé (pode ser em um tanque de areia).

Avaliação da prova

Aspectos a serem observados:

- preensão no gesto;
- rapidez;
- comparação da execução dos exercícios entre os dois lados do corpo, verificando qual possui mais destreza, mais velocidade e mais precisão. Será este que receberá os pontos;
- verificar se a aceleração do movimento diminui sua correção e aumenta as sincinesias e os movimentos de difusão motrizes associados;
- anotar as deformações dos movimentos (movimento do cotovelo, dos dedos, e se há rigidez).

Pontuação

As provas de observação da dominância são avaliadas seguindo algumas regras bem específicas e distintas.

Em primeiro lugar, verifica-se qual lado foi o dominante e dar a pontuação somente para este lado. Verificar também o nível de execução dos exercícios, nas três modalidades: mão, pé e olho, seguindo os seguintes critérios:

Classificação	Desempenho da criança
Nível A 2 pontos	1. Em todas as provas: coordenação perfeita, econômica, mostrando habilidade e precisão de movimentos, sem hesitações. 2. Marionetes: executar no mínimo 24 movimentos em 10 segundos, com precisão.
Nível B 1 ponto	1. Em todas as provas: gestos controlados, mas apresentando algumas dificuldades de coordenação ao executar as tarefas, com pequenas hesitações e dificuldades de coordenação. 2. Marionetes: executar ao menos 22 movimentos em 10 segundos, sem deslocamentos do cotovelo e sem rigidez.
Nível C 0 ponto	1. Em todas as provas: grandes perturbações e incoordenações comprometendo a ação. 2. Marionetes: executar menos de 19 movimentos com rigidez e acompanhados de sincinesias de imitação.

Esta prova da descoberta da dominância é vista em conjunto. Primeiramente, verificar qual é a dominância em cada prova e a qual nível pertence. Na folha de respostas, portanto, marca-se D. ou E. e o nível (A, B ou C).

Após a análise do nível de execução, verificar se a criança tem dominância homogênea (D. ou E.), mesmo que tenha algumas dificuldades de coordenação (níveis A e B), ou se apresenta lateralidade cruzada ou indefinida.

Se a criança mostrar possuir ambidestria, verificar qual lado comanda o gesto e dar os pontos para este lado.

A pontuação final obedece então às seguintes regras:

> 1. Se houver homogeneidade de resultados em todas as provas (dominância D. ou E.): somam-se todos os pontos conforme tabela acima (número total de pontos: 16).
>
> 2. Se houver dominância cruzada, isto é, dominância manual direita e pedal ou ocular esquerda, ou qualquer outra combinação: somam-se todos os pontos da direita e todos os pontos da esquerda, subtraindo-se os resultados. Se em uma modalidade (manual, por exemplo) a criança executar os exercícios ora com uma mão e ora com a outra, refazer as provas para descobrir qual é o lado que realmente comanda o gesto.
>
> 3. Todos os demais casos como as indefinições, as grandes perturbações e as incoordenações já se encontram no nível C e, portanto, o valor é zero.

Para tornar mais clara esta explicação, apresentamos abaixo alguns exemplos de como analisar a pontuação de crianças com dominância homogênea e com dominância cruzada.

Exemplo 1: criança homogênea

a) *Verificação da dominância*

a.1) *Dominância manual*

Provas	Dominância		Níveis			Observações
	D	*E*	*A* 2	*B* 1	*C* 0	
1. Pentear o cabelo	x		x			
2. Jogar uma bola	x			x		
3. Números de 1 a 12	x			x		
4. Marionetes	x		x			
Pontos parciais	x		6 pontos			

a.2) *Dominância ocular*

Provas	Dominância		Níveis			Observações
			A	B	C	
	D	E	2	1	0	
1. *Sighting* duas mãos	x		x			
2. Buraco da fechadura	x			x		
Pontos parciais	x		3 pontos			

a.3) *Dominância pedal*

Provas	Dominância		Níveis			Observações
			A	B	C	
	D	E	2	1	0	
1. Amarelinha	x		x			
2. Chute	x		x			
Pontos parciais	x		4 pontos			

Pontuação final da verificação da dominância

Número de pontos: 13		
(x) Dominância homogênea	(x) Direita	( ) Esquerda
( ) Dominância cruzada		
( ) Dominância indefinida		

Exemplo 2: criança com lateralidade cruzada

a) *Verificação da dominância*

a.1) *Dominância manual*

Avaliação psicomotora à luz...

Provas	Dominância		Níveis			Observações
			A	B	C	
	D	E	2	1	0	
1. Pentear o cabelo	x		x			
2. Jogar uma bola	x			x		
3. Números de 1 a 12	x			x		
4. Marionetes	x		x			
Pontos parciais	x		6 pontos			

a.2) *Dominância ocular*

Provas	Dominância		Níveis			Observações
			A	B	C	
	D	E	2	1	0	
1. *Sighting* duas mãos		x	x			
2. Buraco da fechadura		x	x			
Pontos parciais		x	4 pontos			

a.3) *Dominância pedal*

Provas	Dominância		Níveis			Observações
			A	B	C	
	D	E	2	1	0	
1. Amarelinha	x		x			
2. Chute	x			x		
Pontos parciais	x		3 pontos			

No caso acima, a mão que tem mais pontos é a da direita e, portanto, somam-se todos os seus pontos: 9 (6 pontos da dominância manual +

3 pontos da pedal) e diminuem-se dos pontos da mão esquerda: 4 pontos (da dominância ocular). O resultado (9 – 4 = 5) será então transcrito:

Número de pontos: 5		
( ) Dominância homogênea	( ) Direita	( ) Esquerda
(x) Dominância cruzada		
( ) Dominância indefinida		

b) *Reconhecimento e orientação direita-esquerda*[17] (prova de Piaget e Head)

O reconhecimento pela criança dos conceitos de direita e esquerda verifica a interiorização do eixo corporal, a relação entre as coisas existentes no mundo e a tomada de consciência de seu corpo. A orientação em relação ao eixo corporal é uma função intelectual, gnósica, neuromotriz e afetiva.

As noções de direita e esquerda constituem uma das primeiras referências do espaço organizado que, pouco a pouco, a criança vai formando por meio de "decentração" e que chega a transpor sobre o outro. Este conhecimento lhe permitirá aceder a esta reversibilidade (mais ou menos com 8 anos de idade).

Esta transposição não implica unicamente o conhecimento do corpo e é evidente que também apela à função simbólica, indispensável como um conteúdo perceptivo para captar as posições relativas de uma pessoa e transpô-las para outro. A reprodução em figuras esquematizadas dá-se com 9-10 anos e o reconhecimento da posição de 3 objetos com 10-11 anos, aproximadamente.

Orientação geral para a aplicação da prova

b.1) *Reconhecimento em si mesmo*

Instruções: pedir para a criança executar os seguintes movimentos, por ordem oral:

---

17. Adaptação da bateria de Piaget e Head, descrita por N. Galifret e Granjon. In: VAYER, 1982 e ZAZZO, 1981.

1. mostre a sua mão esquerda;
2. mostre o seu pé direito;
3. com a mão direita, toque sua orelha esquerda.

Nota: se a criança não conseguir responder a esta questão, não apresentar as questões b.2 e b.4 e atribuir a pontuação zero.

b.2) *Reconhecimento no outro face a face*

Instruções: o observador de frente para a criança fala:
1. "toque a minha mão esquerda"
2. Segurando uma bola na mão direita o observador pergunta: "a bola está em qual mão?"

b.3) *Reprodução de movimentos em figuras esquematizadas* – Dois movimentos a executar[18]

> *Observação*: para realizar esta prova, o examinador não deve estar escrevendo ou com algum lápis na mão para não induzir o examinando a apontar a mão direita. Tomar cuidado também com o relógio no pulso.

Encontra-se no *Anexo 3*.

Instruções: "Você vai fazer os mesmos gestos que esta figura, com a mesma mão que ela". Não se deve falar em D. ou E.

Apresentar uma a uma as figuras. Verificar se inverte as mãos como se estivesse vendo um espelho.

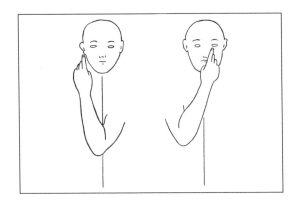

---
18. ZAZZO, R. 1981, p. 63-71.

3. Avaliação psicomotora

b.4) *Reconhecimento da posição de 3 objetos*

Material: 3 bolas ligeiramente afastadas (15cm) dispostas da esquerda para a direita nesta sequência: vermelha, azul, verde.

Instruções: "Cruze os braços. Você vê as 3 bolas que estão à sua frente? Sem se mexer, você vai responder, o mais rápido possível, às questões que eu vou propor:

1. A bola vermelha está à direita ou à esquerda da azul?

2. A bola azul está à direita ou à esquerda da verde?"

Avaliação da prova

Aspectos a serem observados:

- se titubeia nas respostas;
- se inverte D. e E.;
- se a criança tem consciência de que existem dois lados no corpo;
- se se vê no outro em espelho;
- interiorização do eixo corporal.

Pontuação	Desempenho da criança
2	Movimento correto, sem hesitação, denotando possuir interiorização do eixo corporal; reconhecimento da orientação D. e E. em si, no outro, em figuras e em objetos do meio.
1	Conhecimento de D. e E. em si mesmo com algumas hesitações; ou erros com correções espontâneas.
0	Movimento errado, denotando falta de percepção do eixo corporal; se inverte D. e E.; movimento em espelho nas figuras.

III. *Organização e estruturação espacial*

A estruturação espacial é uma elaboração e uma construção mental. É a possibilidade de organizar-se perante o mundo, de organizar as coisas entre si, de compreender as relações das posições dos objetos.

Pela interiorização de seu corpo a criança apreende o espaço que a cerca, trabalha com a representação deste espaço, prevendo e antecipando suas ações. A interiorização garante a representação mental de seu corpo e dos objetos.

Por meio de um trabalho mental, seleciona, compara os diferentes objetos, extrai, agrupa, classifica seus fatores comuns e chega aos conceitos desses objetos e às categorizações. Os objetos só existem dentro do espaço e é essencial que possua uma noção espacial.

Para a criança assimilar as relações espaciais (progressões de tamanho, quantidade e transposição) é preciso que tenha uma estrutura de espaço.

Orientação geral para a aplicação da prova

a) *Conhecimento dos termos espaciais*

Instruções: pesquisar junto à criança seu conhecimento sobre os termos espaciais. A prova consiste em fazer à criança as seguintes perguntas:

1. "O que você tem acima de você nesta sala? e abaixo?"
2. "O que você tem à frente de você? e atrás?"
3. Mostrar dois ou mais objetos espalhados na sala e perguntar: "Qual objeto está mais longe de você nesta sala? e mais perto?"
4. Conhecimento de dobro e metade.

Deixar à mostra 10 objetos iguais de mesma classificação (ou bichos, ou frutas, ou tampinhas, ou desenhos, ou material dourado). Separar 4 e pedir para a criança mostrar o dobro e depois a metade. *Observação*: não se deve explicar o que é dobro ou metade. O objetivo da pergunta é descobrir se a criança já tem interiorizadas estas noções.

b) *Adaptação e organização espacial*[19]

Nesta prova espera-se que a criança realize simples operações de cálculo mental (adição e subtração) e principalmente adapte o comprimento de seus passos.

Instruções:

1) solicitar que a criança ande a uma distância de 5 metros, contando alto o número de passos que dá. Depois, pedir que dê 3 passos a menos percorrendo a mesma distância;

---

19. ZAZZO, R., 1981 p. 67-71.

2) pedir que ande novamente a mesma distância, dando 3 passos a mais do que havia dado a primeira vez. Observar.

Se a criança acerta, perguntar: o que você fez para dar certo? Ou se não acertou: por que não deu certo? O que é preciso fazer?

Analisar a argumentação da criança. É preciso investigar se a criança se adapta ao espaço determinado e não se ela sabe fazer cálculos mentais.

c) *Relações espaciais*: progressão de tamanho

Instruções:

1) noção de tamanho: mostrar alguns objetos da sala e pedir para a criança explicar qual é o maior e o menor;

2) ordem crescente: apresentar 6 objetos de formatos iguais e tamanhos diferentes (exemplos: círculos, quadrados ou desenhos de bichos ou casinhas, ou ainda o material dourado) e pedir que organize em ordem crescente;

3) elementos vazios: apresentar os 6 objetos iguais citados no item anterior, retirando somente um (desde que não seja das pontas), sem que a criança veja e pedir-lhe para mostrar de que lugar foi retirado. Repetir o exercício, retirando outro e dar as mesmas instruções.

Avaliação da prova

Aspectos a serem observados:

- posições no espaço;
- adaptação ao espaço (se a criança divide corretamente o espaço e se sabe explicar o erro ou o acerto);
- observar a posição da folha nos exercícios gráficos, se há mudança ou rotação da folha;
- orientação espacial no papel;
- conhecimento dos termos espaciais;
- noção de progressão de tamanho;
- memorização visuoespacial.

Avaliação psicomotora à luz...

Pontuação	Desempenho da criança
2	Respostas certas, sem hesitações, demonstrando ter conhecimento dos termos espaciais; adaptação ao espaço.
1	Hesitações, inseguranças, correções espontâneas. Nota: se a criança responder só a uma das duas modalidades em cada pergunta, computar um ponto.
0	Falha na realização da prova.

d) *Orientação espacial no papel*

Instruções: colocar diante da criança uma folha de papel sulfite e um lápis preto, pedindo que copie o desenho o melhor que puder. Ela pode escolher o desenho que quiser reproduzir, dentre os propostos nos anexos 4A, 4B e 4C. Depois pedir para pintar seu próprio desenho. Observar.

Nesta prova são analisados o desenho e a pintura.

Pontuação (somente para esta prova):

Pontuação	Desempenho da criança
2	Se a criança obedece à proporção e ao traçado do desenho; se pinta obedecendo ao contorno; cópia fiel; se possui orientação espacial no papel.
1	Falhas em duas das condições acima citadas.
0	Traçados irregulares, desenho com distorções; pintura fora dos limites do desenho.

e) *Memorização visual* – Representação mental do gesto (proposta baseada na prova *Bon départ*[20])

Esta prova visa situar o nível de organização visual. Douret (1998) afirma que no meio escolar esta prova permite precisar a maturidade da percepção visual para as crianças diante da conquista da aprendizagem da leitura e da ortografia.

---

20. MASSON, S. 1985, p. 129-131 e DOURET, L.V. 1998, p. 77-79.

3. Avaliação psicomotora

Observações:
- foram selecionadas 2 das 5 figuras geométricas propostas no teste original;
- esta prova pode ser realizada a partir de 4 anos, embora só a partir de 8 anos o número de elementos seja correto. As melhores realizações situam-se a partir de 13 anos.

Material:
- 2 figuras geométricas impressas em cartões, apresentadas abaixo;
- 1 lápis preto 2B;
- 1 folha de papel tamanho ofício.

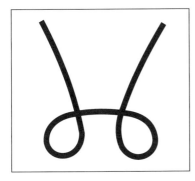
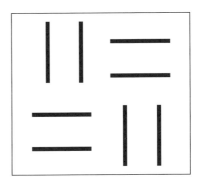

Instruções: é apresentado à criança um cartão de cada vez, durante 5 segundos, dizendo-lhe: "Eu vou mostrar um desenho fácil, você vai olhar bem, depois eu vou tirar o desenho e você vai fazer um parecido. Olhe bem".

Após a execução do primeiro desenho: "Está bom, agora eu vou mostrar outro".

Aspectos a serem observados – somente para esta prova (In: MASSON, 1985, p. 131):
- o número de elementos que compõem a figura;
- a relação das alturas dos elementos entre si;
- a orientação da esquerda para a direita;
- a verticalidade do conjunto;
- a horizontalidade;

- a igualdade dos elementos comparáveis;
- os distanciamentos ou os ângulos.

Pontuação	Desempenho da criança
2	Realização perfeita, de acordo com o número de elementos, obedecendo à verticalidade, à horizontalidade, à posição dos ângulos; desenho fiel ao modelo, de tamanho aproximado.
1	Indecisões, pequenas deformações na posição de ângulos e nos traçados, tamanho diferente do original.
0	Falha na execução; a criança não consegue reproduzir de memória e, quando o faz, apresenta deformidades, sem respeitar os ângulos ou o número de elementos.

f) *Reprodução de estruturas espaciais*[21]

Esta prova mostra, além da estruturação espacial, a memorização visual, aliada à coordenação opculomanual. Pela reprodução da estrutura, exige-se que a criança possua uma representação espacial e também um grau de controle motor.

Instruções: deixar na mesa alguns palitos de fósforos à disposição da criança. Com um anteparo o examinador mostra uma estrutura com palitos de fósforos, segundo os modelos. Pode também colar os palitos em 1 cartão.

Depois, mostra-se a estrutura de fósforos durante 5 segundos, solicitando à criança que observe bem. Em seguida, tapa-se a estrutura, e logo após a criança a executa, segundo uma coordenação espacial esquerda-direita. Ela não deve desenhar, mas executar as estruturas com os palitos de fósforos. Se a criança se esquecer, não se deve apresentar novamente a estrutura.

Ficha de ensaio somente para crianças de 4 a 5 anos

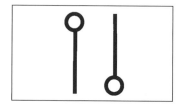

21. FONSECA, V. 1995, p. 214 e CONDEMARÍN, M. et al. 1986, p. 199.

Estruturas

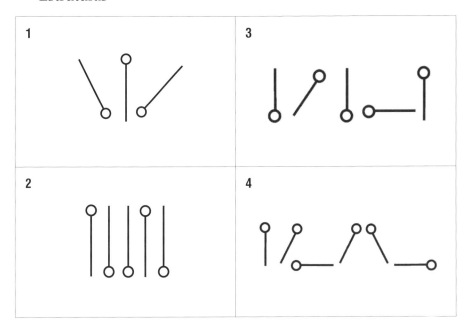

Pontuação (somente para esta prova):

Pontos	Desempenho da criança
2	Realização completa obedecendo ao sentido dos traços (verticais, horizontais, inclinados) e as direções das cabeças dos palitos de fósforos, revelando possuir memorização espaço-visual e controle motor.
1	Hesitações e correções espontâneas, apresentando algumas dificuldades de memorização, apresentando erro em um palito somente em relação a uma ligeira inclinação (e não em relação à posição das cabeças dos fósforos).
0	Não realização ou realização incompleta.

IV. Organização e estruturação temporal

Capacidade de perceber e de ajustar sua ação aos diferentes componentes do tempo; localização dos acontecimentos passados e presentes e capacidade para projetar-se para o futuro fazendo planos; capacidade de se organizar no tempo, combinando seus diversos elementos.

Pela representação mental dos movimentos do tempo e suas relações, a criança atinge uma maior orientação temporal e adquire a capacidade de trabalhar no nível simbólico.

Além de verificar a aquisição de conceitos temporais, analisam-se as estruturas rítmicas. Essas estruturas reproduzem simultaneamente, em forma de batidas e de uma escrita codificada, certas características do desenvolvimento temporal. O ritmo é um elemento importante da estruturação temporal, pois combina sucessão, duração, intervalo e rapidez.

Orientação geral para a aplicação da prova

a) *Reconhecimento das noções temporais*

O objetivo desta avaliação é constatar se a criança reconhece conceitos temporais por meio de perguntas ligadas à vida cotidiana.

Instruções: consiste em se fazer perguntas para a criança, como estas:

- O que você faz antes do almoço? E depois?
- Estamos na parte da manhã, da tarde ou da noite? (fazer mais perguntas para perceber se ela tem introjetadas essas noções);
- Quais são as estações do ano? O que significam?
- Quantos dias tem uma semana? Quais são?
- Quantos meses tem o ano? Você sabe quais são? Em que mês estamos? Qual é o mês do Natal?
- Horas do relógio (mostrar um relógio não digital e perguntar as horas).

Pode-se também apresentar figuras mostrando as horas e verificar seu conhecimento.

Avaliação da prova

Aspectos a serem observados:

- conhecimento dos termos temporais;
- noção da passagem do tempo, estações do ano.

Pontuação	Desempenho da criança
2	Respostas certas, sem hesitações, demonstrando ter conhecimento de todos os termos temporais.
1	Hesitações, inseguranças, correções espontâneas; conhecimento de só uma das modalidades de cada resposta.
0	Falha na realização da prova.

b) *Sequência lógica do tempo*

Material: cartões com figuras desenhadas que denotem uma sequência no tempo. Uma história com diferentes estágios de evolução temporal.

Instruções: pedir para a criança colocar as figuras na ordem temporal de acontecimentos. Depois, pedir para ela contar a história que montou. Apresentar 3 histórias (modelos no anexo 7).

> *Observação:* para as crianças até 4 anos de idade, apresentar uma sequência simples de 3 figuras; para crianças de 5 a 8 anos, uma sequência de 5 figuras; a partir de 8 anos, apresentar uma sequência com mais de 6 figuras.

Pontuação	Desempenho da criança
2	Para cada sequência correta, com rapidez e acompanhada da história na ordem temporal de acontecimentos.
1	Se a criança errar a sequência, mas conseguir contar uma história que justifique a ordem temporal de acontecimentos.
0	Nenhuma das condições acima.

c) *Ritmo*

c.1) *Noção de velocidade e ritmo*[22]

Instruções:

1) pedir para a criança andar bem devagar e depois bem depressa;
2) bater palmas em ritmo lento e ir aumentando, até ficar bem rápido e pedir para a criança andar, ou correr acompanhando esse ritmo.

c.2) *Reprodução de estruturas rítmicas de Mira Stamback*[23]

Instruções: o examinador dá uma série de batidas com um lápis em uma mesa (com um anteparo para a criança não acompanhar com os olhos), e pede à criança que ouça com atenção, devendo, em seguida, reproduzir o som.

Ensaio: quando não consegue reproduzir a estrutura, depois de dois ensaios, anota-se como fracasso. Parar após 3 estruturas erradas sucessivamente.

Ensaio: O OO

Estruturas	
1. OO O O	5. O OO OOO
2. OO OO	6. OO OOO OO
3. O OO O O	7. OOO O OO O
4. OOO OO O	8. O OO OOO OO

c.3) *Simbolização de estruturas temporais, por meio da leitura*

(Reprodução por meio de batidas). As estruturas simbolizadas representam-se em círculos desenhados em cartões (um cartão individual para cada estrutura).

---

22. Ibid.
23. PICQ, L. & VAYER, P., 1985; ZAZZO, R., 1981 e BAGANTINI, V., 1992.

Instruções: "Mostrarei a você uma estrutura (bolinhas) e você vai ler, dando batidas com o lápis". Apresentar primeiro a ficha de ensaio e depois as estruturas, uma a uma.

Ficha de ensaio: O OO

1) OOO OO

2) O O OO OOO

c.4) *Ditado* (desenhar as batidas)

Para terminar, eu darei as batidas com o lápis e você desenhará as rodinhas. Segure a folha de papel, escute as minhas batidas e logo desenhará tal como tenha ouvido.

1) OO O O

2) O OO OOO O

Avaliação da prova

Aspectos a serem observados em orientação temporal:

- noção de antes e depois;
- noção de velocidade;
- domínio do ritmo;
- ritmo espontâneo (se é lento, instável, rápido);
- reprodução de estruturas rítmicas (observar se a criança não confunde batidas lentas com mais fracas e rápidas com mais fortes;
- organização num dia (conceitos de tempo: ontem, hoje e amanhã);
- noção da passagem do tempo, estações do ano.

> *Pontuação:* um ponto por resposta correta, sem hesitações.

3. FICHA DE AVALIAÇÃO PSICOMOTORA

Gislene de Campos Oliveira

Nome: _____

Sexo: _____Idade: _____Data de nascimento: _____

Escolaridade: _____

Datas de aplicação: _____

Tempo de execução: _____

Observador: _____

_____
_____
_____
_____
_____

Observações sobre o tipo físico da criança, o comportamento e as reações durante o exame:

_____
_____
_____
_____
_____
_____

CONDUTAS MOTORAS DE BASE

I. Coordenação e equilíbrio

a) Coordenação

a.1) Coordenação global

Provas	Pontuação			Observações
	2	1	0	
1. Andar				
2. Correr				
3. Dismetria de olhos abertos				
4. Dismetria de olhos fechados				
5. Postura ao sentar				
Total de pontos				

a.2) Dissociação de movimentos

Provas	Pontuação			Observações
	2	1	0	
1. Abrir e fechar as mãos				
2. Dissociação das mãos				
3. Dissociação pés/mãos				
Total de pontos				

a.3) Coordenação fina e oculomanual

Provas	Pontuação			Observações
	2	1	0	
1. Recorte				
2. Coordenação dinâmica das mãos				
3. Labirintos				
4. Circunvolução				
5. Preensão do lápis				
Total de pontos				

Observações sobre a postura ao escrever e a preensão do lápis:

_____
_____
_____

b) Equilíbrio

b.1) Equilíbrio estático

Provas	Pontuação			Observações
	2	1	0	
1. Imobilidade				
2. Um pé só/olhos fechados				
Total de pontos				

b.2) Equilíbrio dinâmico

Provas	Pontuação			Observações
	2	1	0	
1. Saltar com um pé só				
2. Saltar batendo palmas				
Total de pontos				

HABILIDADES PSICOMOTORAS

II. Esquema corporal

a) Desenho da figura humana

Pontuação	10	8	6	4	2	0
Justificativa e observações:						

b) Relaxamento

Provas	Pontuação			Observações
	2	1	0	
1. Controle sobre o corpo				
2. Balanceio dos ombros				
3. Relaxamento dos braços				
4. Relaxamento das mãos				
Total de pontos				

c) Conhecimento das partes do corpo

	Pontuação			Pontuação		Observações
	0,5	0		0,5	0	
1. Cabeça			11. Calcanhar			
2. Braços			12. Nuca			
3. Testa			13. Tronco			
4. Joelho			14. Quadril			
5. Pescoço			15. Cílios			
6. Ombro			16. Punho			
7. Pupila			17. Sobrancelhas			
8. Polegar			18. Tornozelo			
9. Cotovelo			19. Axilas			
10. Queixo			20. Pálpebras			
Total de pontos						

d) Imitação de atitudes

d.1) Imitação de gestos

Provas	Pontuação		Observações
	1	0	
1			
2			
3			
Total de pontos			

d.2) Imitação dos contrários

Provas	Pontuação		Observações
	1	0	
4			
5			
6			
Total de pontos			

III. Lateralidade

a) Verificação da dominância

a.1) Dominância manual

Provas	Dominância		Níveis			Observações
			A	B	C	
	D	E	2	1	0	
1. Pentear o cabelo						
2. Jogar uma bola						
3. Números de 1 a 12						
4. Marionetes						
Pontos parciais						

a.2) Dominância ocular

Provas	Dominância		Níveis			Observações
			A	B	C	
	D	E	2	1	0	
1. *Sighting* duas mãos						
2. Buraco da fechadura						
Pontos parciais						

a.3) Dominância pedal

Provas	Dominância		Níveis			Observações
			A	B	C	
	D	E	2	1	0	
1. Amarelinha						
2. Chute						
Pontos parciais						

Pontuação final da verificação da dominância

Número de pontos:		
( ) Dominância homogênea	( ) Direita	( ) Esquerda
( ) Dominância cruzada		
( ) Dominância indefinida		
Observações: _____ _____ _____ _____		

b) Reconhecimento e orientação dos conceitos de direita e esquerda

b.1) Reconhecimento em si mesmo

Provas	Pontuação			Observações
	2	1	0	
1. Mão esquerda				
2. Pé direito				
3. Mão direita na orelha esquerda				
Total de pontos				

b.2) Reconhecimento no outro face a face

Provas	Pontuação			Observações
	2	1	0	
1. Mão E. do observador				
2. Bola na mão D.				
Total de pontos				

b.3) Reprodução de movimentos em figuras esquematizadas

Provas	Pontuação			Observações
	2	1	0	
1. Figura 1				
2. Figura 2				
Total de pontos				

b.4) Reconhecimento da posição de 3 objetos

Provas	Pontuação			Observações
	2	1	0	
1. Bola vermelha à D. ou E. da azul				
2. Bola azul à D. ou E. da verde				
Total de pontos				

IV. Estruturação espacial

a) Conhecimento dos termos espaciais

Provas	Pontuação			Observações
Noções de	2	1	0	
1. Acima e abaixo				
2. À frente e atrás				
3. Mais longe e mais perto				
4. Dobro e metade				
Total de pontos				

b) Adaptação e organização espacial

Provas	Pontuação			Observações
	2	1	0	
1. Três passos a menos				
2. Três passos a mais				
Total de pontos				

c) Relações espaciais: progressão de tamanho

Provas	Pontuação			Observações
	2	1	0	
1. Maior e menor				
2. Ordem crescente				
3. Elementos vazios				
Total de pontos				

d) Orientação espacial no papel

Provas	Pontuação			Observações
	2	1	0	
1. Desenho				
2. Pintura				
Total de pontos				

3. Avaliação psicomotora

e) Memorização visual – Representação mental do gesto

Provas	Pontuação			Observações
	2	1	0	
1. Figura 1				
2. Figura 2				
Total de pontos				

f) Reprodução de estruturas espaciais

Ficha de ensaio para crianças de 4-5 anos:

Provas	Pontuação			Observações
	2	1	0	
1.				
2.				
3.				
4.				
Total de pontos				

V. Estruturação temporal

a) Reconhecimento de noções temporais

Provas	Pontuação			Observações
Noções de	2	1	0	
1. Antes e depois				
2. Manhã, tarde e noite				
3. Estações do ano				
4. Dias da semana				
5. Meses do ano				
6. Horas do relógio				
Total de pontos				

b) Sequência lógica do tempo

Provas	Pontuação			Observações
	2	1	0	
1. Sequência 1				
2. Sequência 2				
3. Sequência 3				
Total de pontos				

c) Ritmo

c.1) Noção de velocidade e ritmo

Provas	Pontuação			Observações
	2	1	0	
1. Andar devagar e depressa				
2. Andar no ritmo de palmas				
Total de pontos				

3. Avaliação psicomotora

c.2) Reprodução de estruturas rítmicas

Provas	Pontuação		Observações
	1	0	
1. OO O O			
2. OO OO			
3. O OO O O			
4. OOO OO O			
5. O OO OOO			
6. OO OOO OO			
7. OOO O OO O			
8. O OO OOO OO			
Total de pontos			

c.3) Simbolização pela leitura

Provas	Pontuação		Observações
	1	0	
1. OOO OO			
2. O O OO OOO			
Total de pontos			

c.4) Simbolização pelo ditado

Provas	Pontuação		Observações
	1	0	
1. OO O O			
2. O OO OOO O			
Total de pontos			

PERFIL DO DESENVOLVIMENTO PSICOMOTOR

Habilidades psicomotoras	Pontos	Estágios de desenvolvimento						
		I	IA	IB	II	IIA	IIB	III
Coordenação e equilíbrio								
Esquema corporal								
Lateralidade								
Orientação espacial								
Orientação temporal								

Estágios de desenvolvimento psicomotor

Habilidades psicomotoras	Estágios – Pontuação esperada						
	I	IA	IB	II	IIA	IIB	III
Coordenação e equilíbrio	2	3 a 14	15 a 20	21	22 a 27	28 a 33	34
Esquema corporal	2	3 a 12	13 a 18	19	20 a 24	25 a 33	34
Lateralidade	2	3 a 9	10 a 16	17	18 a 25	26 a 33	34
Orientação espacial	2	3 a 9	10 a 14	15	16 a 23	24 a 33	34
Orientação temporal	1	2 a 8	9 a 14	15	16 a 25	26 a 33	34

I – Imagem de corpo vivido (até 3 anos)

IA – Reorganização do corpo vivido (3 a 4 anos e 6 meses)

IB – Indícios de presença de imagem de corpo percebido (5 a 6 anos)

II – Imagem de corpo percebido (7 anos)

IIA – Reorganização do corpo percebido (8 a 9 anos)

IIB – Indícios de presença de I, corpo representado (10 a 11 anos)

III – Imagem de corpo representado (a partir de 12 anos)

Conclusão

Plano terapêutico

Etapas do desenvolvimento psicomotor e idade psicomotora

O desenvolvimento psicomotor elabora-se desde o nascimento e progride lentamente de acordo com a vivência e oportunidade que a criança possui em explorar o mundo que a rodeia.

Segundo Le Boulch (In: OLIVEIRA, 2010) o ser humano passa por três etapas em seu desenvolvimento psicomotor, as quais apresentamos abaixo. É importante ressaltar que cada etapa possui aprendizagens próprias, em razão da evolução da maturação da criança e sua idade cronológica.

1. 1ª ETAPA – CORPO VIVIDO (ATÉ 3 ANOS DE IDADE)

Ao nascer e até mais ou menos 3 meses de idade, a criança apresenta uma motricidade reflexa e, pouco a pouco, vai inibindo seus reflexos arcaicos. Um bebê, à medida que cresce, mediante um maior amadurecimento do seu sistema nervoso, vai ampliando suas experiências e manipulando seu espaço.

Esta fase corresponde à *fase da inteligência sensório-motora* de Jean Piaget. É a fase a que chamamos *vivência corporal*. Sua atividade é incessante e espontânea. A criança aprende a manipular objetos e a andar. Nesta fase, os elementos psicomotores e cognitivos caminham lado a lado, já que um depende do outro. É a fase do conhecimento das partes do corpo.

Pouco a pouco, a maturação da preensão e da oculomotricidade vai facilitar um maior domínio sobre o objeto e a criança coordenará melhor seus movimentos.

Ela se movimenta, mas sem analisar este movimento. Utiliza-se bastante da imitação para se mover corretamente em seu meio ambiente e é pela prática pessoal, pela exploração que se ajusta, domina, descobre e compreende o meio, coordenando suas ações. Este ajuste significa que a criança, mesmo sem a interferência da reflexão, adapta suas ações às situações novas, isto é, desenvolve uma das funções mais importantes que é a *função de ajustamento*.

Valendo-se da memória do corpo ela atinge a eficácia dos ajustamentos posteriores.

No final desta fase pode-se falar em imagem de corpo, pois o "eu" se torna unificado e individualizado.

2. 2ª ETAPA – CORPO PERCEBIDO OU "DESCOBERTO" (3 A 7 ANOS)

O ajustamento espontâneo da primeira fase transforma-se em um ajustamento mais controlado, embora a dissociação gestual ainda não seja boa. Isto quer dizer que a criança passa a ter um maior domínio sobre o corpo. Ela aperfeiçoa e refina os movimentos adquirindo uma maior coordenação dentro de um espaço e tempo determinados. Ela tem, portanto, um maior controle do próprio corpo.

A criança consegue ajustar suas ações às situações e aos objetos, como, por exemplo, quando pega objetos pesados ou leves, ela regula a força necessária para cada um deles. A criança também desenvolve uma percepção mais centrada em seu próprio corpo por meio da maturação da *função de interiorização*, discutida por Le Boulch (1984, p. 16).

A denominação das partes do corpo favorece a tomada de consciência que envolve uma percepção de si mais acurada. Esta denominação é, pois, uma etapa importante na representação mental do corpo. É também nesta etapa que a criança vai representar-se por intermédio do desenho.

A criança não conhece somente as partes de seu corpo, mas também chega à orientação corporal pela tomada de posição do corpo, associando-o aos objetos da vida quotidiana. Isto possibilita a distinção das diversas orientações no espaço como, por exemplo, a percepção da orientação das letras e palavras na escrita.

> Ela chega à *representação mental* dos elementos do espaço.

> É nesta fase que a dominância lateral se instala e com ela descobre seu eixo corporal. Passa a ver seu corpo como um *ponto de referência* para se situar e situar os objetos em seu espaço e tempo. Este é o primeiro passo para que a criança possa, mais tarde, chegar à estruturação espaço-temporal (OLIVEIRA, 2010).

Por meio de seu eixo corporal a criança chega à representação e à assimilação de conceitos tais como embaixo, acima, direita, esquerda. Ela adquire também noções temporais como a duração dos intervalos de tempo, de ordem e sucessão, isto é, o que vem antes, depois, primeiro, último, os dias da semana.

Estes conceitos ainda estão muito centrados no próprio corpo. No final desta fase – diz Le Boulch, citando Ajuriaguerra – o nível do comportamento motor, bem como o nível intelectual, pode ser caracterizado como pré-operatório.

3. 3ª ETAPA – CORPO REPRESENTADO (7 A 12 ANOS)

Nesta etapa a criança chega a um espaço representativo. Ela amplia e organiza seu esquema corporal.

Na etapa anterior ela conhecia o ambiente por meio da percepção do próprio corpo. Nesta fase ela não mais se centraliza, mas evolui para a *descentralização*, para a representação mental de um espaço orientado que não toma mais somente seu corpo como ponto de referência, mas utiliza outros pontos de referências exteriores a ela. Podem-se citar como exemplo as noções de direita e esquerda. Anteriormente ela conhecia esses conceitos somente em função de seu corpo. Com 8-9 anos ela já consegue distinguir essas noções em reversibilidade, isto é, face a face.

A partir de 10 anos a criança dispõe de uma imagem mental do corpo em movimento, significando que atingiu "uma representação mental de uma sucessão motora", com a introdução do fator temporal (LE BOULCH, 1984, p. 19). Ela adquire a noção de conservação das distâncias, das quantidades, das formas e é capaz de situar as sequências lógicas do tempo mais elaboradas. É capaz também de trabalhar em um espaço orientado. No final desta fase o nível motor da criança evolui possuindo um domínio cada vez maior.

O desenho da figura humana torna-se mais elaborado, com mais detalhes e mais próximo da visão do adulto. Ela consegue desenhar esquematicamente as diferentes fases de um movimento, representa uma cena vivida ou sonhada, mostrando as emoções e os sentimentos. Ela adquire a capacidade de representar num desenho ou por meio de seu corpo os sentimentos das personagens, numa visão descentralizada de si mesma.

Outro fator importante nesta fase que merece destaque é a passagem da imagem de corpo de reprodutora para *antecipatória*, revelando um verdadeiro trabalho mental em razão da evolução das funções cognitivas "correspondentes ao estágio preconizado por Piaget de *operações concretas*" (OLIVEIRA, 2010, p. 60). Esta capacidade de antecipação permite-lhe encontrar as soluções mais rapidamente e a se organizar perante elas. Como exemplo podemos citar a capacidade de prever onde a bola irá cair e adequar seus gestos para este fim.

A imagem do corpo representado permite à criança de 12 anos "dispor" de uma *imagem de corpo operatório* que é o suporte que a permite efetuar e programar mentalmente suas ações em pensamento. Torna-se capaz de organizar, de combinar as diversas orientações. Ela chega às noções de perspectiva.

A criança adquire o domínio corporal e consegue descobrir qual é o caminho que permite melhorar ainda mais este domínio prevendo suas características próprias.

Aos 12 anos adapta seu gesto às circunstâncias imediatas, possuindo uma disponibilidade corporal que a torna capaz de modificar seu gesto de maneira imediata, pois seu corpo deve obedecer-lhe.

4. IDADE PSICOMOTORA

Para se chegar à idade psicomotora da criança somam-se todos os resultados das provas de cada uma das habilidades de acordo com a tabela a seguir.

Habilidades psicomotoras	Estágios – Pontuação Esperada						
	I	IA	IB	II	IIA	IIB	III
Coordenação e equilíbrio	2	3 a 14	15 a 20	21	22 a 27	28 a 33	34
Esquema corporal	2	3 a 12	13 a 18	19	20 a 24	25 a 33	34
Lateralidade	2	3 a 9	10 a 16	17	18 a 25	26 a 33	34
Orientação espacial	2	3 a 9	10 a 14	15	16 a 23	24 a 33	34
Orientação temporal	1	2 a 8	9 a 14	15	16 a 25	26 a 33	34

Tabela das fases da evolução das habilidades psicomotoras verificadas pelo exame psicomotor.

Para uma análise mais detalhada das habilidades que a criança desenvolve de acordo com a sua maturação, idade cronológica e características dessas habilidades, optamos, em nosso exame psicomotor, por subdividir as etapas anteriormente citadas da seguinte forma:

I – Corpo vivido (até 3 anos de idade)

IA – Reorganização do corpo vivido (3 a 4 anos)

IB – Indícios de presença de corpo percebido (5 a 6 anos)

II – Corpo percebido (7 anos)

IIA – Reorganização do corpo percebido (8 a 9 anos)

IIB – Indícios de presença de corpo representado (10 a 11 anos)

III – Corpo representado (a partir de 12 anos)

Como ilustração, apresentamos a seguir um exemplo de uma criança com a idade cronológica de 8 anos e que possui a seguinte pontuação:

- coordenação e equilíbrio: 5;
- esquema corporal: 16;
- lateralidade: 12;

- orientação de espaço: 19;
- orientação temporal: 15.

Estes resultados transpostos na tabela acima terão o seguinte perfil:

Habilidades psicomotoras	Pontos	Estágios de desenvolvimento						
		I	IA	IB	II	IIA	IIB	III
Coordenação e equilíbrio	5		x					
Esquema corporal	16			x				
Lateralidade	12			x				
Orientação espacial	19					x		
Orientação temporal	15				x			

Sua idade psicomotora será:

- coordenação e equilíbrio: 3 a 4 anos – etapa da reorganização de corpo vivido;
- esquema corporal: 5 a 6 anos – etapa dos indícios de presença de corpo percebido;
- lateralidade: 5 a 6 anos – etapa dos indícios de presença de corpo percebido;
- orientação espacial: 8 a 9 anos – etapa da reorganização do corpo percebido;
- orientação temporal: 7 anos – etapa de corpo percebido.

Podemos concluir que somente em orientação espacial ela se encontra com a idade psicomotora de acordo com a cronológica. Estes resultados são, portanto, bastante esclarecedores e indicativos para o planejamento de atividades de reeducação.

Complementando estes dados apresentamos a seguir uma tabela das principais aquisições da criança em cada idade.

Habilidades psicomotoras – Principais conhecimentos e aquisições

Habilidades	Coordenação e equilíbrio	Esquema corporal	Lateralidade	Estruturação espacial	Estruturação temporal
Até 3 anos	A criança sobe e desce escadas, alternando os pés. Ela é capaz de parar um gesto rápido. Consegue andar por obstáculos.	Conhecimento das partes do corpo: mãos, pés, nariz, cabelos, orelhas, olhos, boca, braços, língua, pernas, cabeça, barriga. A criança representa seu corpo por *Le bonhome* rudimentar.	Não se pode ainda falar em dominância: a criança se utiliza ora da mão ou pé direito ora do esquerdo. Dominância ocular fixa.	Frente, atrás, sobre, sob, dentro, fora, grande, pequeno, no alto, embaixo (em relação a si mesmo).	Agora, depressa, rápido, lentamente, hoje, amanhã, para, espera.
4 anos	A criança pode ficar sobre um pé só durante alguns segundos. Pode saltar a uma distância de 2m e uma altura de 10cm com o pé dominante.	Dentes, ombros, costas, joelho, unhas, umbigo, pescoço. 4 anos e meio: começa a aparecer um corpo mais correto.	Continua a experienciação dos dois lados do corpo.	Ao lado, longe, em torno de, perto, em redor de, médio, deitar, de pé, redondo, quadrado, pouco, muito, progressão de tamanho.	Noite, dia, mais velho, antes, depois, maior, manhã, tarde, sua idade, reprodução de estruturas rítmicas de 2 ou 3 movimentos.
5 anos	A criança tem condições de executar exercícios simples de dissociação de movimentos. Os exercícios de coordenação global vão poder ser realizados por imitação de forma mais ou menos correta.	Lábios, queixo, peito, bochecha, testa. 5 anos e meio: desenho dinâmico; começam os detalhes das roupas.	Instabilidade no domínio manual.	Em frente, em toda parte, direito, inteiro, retângulo, entrar, sair, voltar.	Estações do ano; sequência lógica do tempo, num nível mais elementar, noções de 1º e último; noções de ordem e sucessão.

Avaliação psicomotora à luz...

6 anos	A criança pode se tornar imóvel, com os 2 olhos fechados, durante 10 segundos.	Cotovelos.	Domínio manual mais estável, início do reconhecimento de D. e E. em si mesma.	Grosso, fino, metade, ao meio, subir, descer, rolar, junto, só, estruturas espaciais.	Dias da semana e mês.
7 anos	Relaxamento: a criança toma consciência de seu corpo, do relaxamento de alguma parte.	Sobrancelhas, palma das mãos.	Reconhecimento D. e E. em outra pessoa colocada na mesma orientação que ela.	Dobrar, puxar, empurrar, erguer.	Habilidade com os dias da semana, meses do ano, utilização do calendário.
8 anos		Fronte, nuca, cílios. Aparece o desenho de perfil.	Reversibilidade no reconhecimento de D. e E. no outro, face a face.	Longo, curto.	Horas no relógio, ano em que está, reprodução da data.
9 anos	As sincinesias de imitação tendem a desaparecer.	Punho, pulso, antebraço, polegar. Aparecem melhores proporções corporais.	Reconhecimento de D. e E. em figuras esquematizadas.	Largo, estreito, oblíquo, delgado, espesso, noção de perspectiva.	Regularidade do tempo, reprodução de estruturas rítmicas de 6 golpes.
10 anos	As coordenações do corpo-espaço e tempo estão associadas e permitem práticas esportivas que exigem trabalho de equipe.	Pupila, ventre, barriga da perna, tronco, pálpebras.	Dominância lateral mais pronunciada. Orientação D.-E. em relação a um plano.		A criança é capaz de chegar a um tempo impessoal, a um tempo que não é dele. Ex.: homem das cavernas. Distingue a diferença entre o passado imediato, o antigo, o histórico e o passado pessoal.
11 anos	As sincinesias devem ter desaparecido nesta idade.	Narinas, quadril, tronco, ventre, pupila, tornozelo.	Reconhecimento da disposição de 3 objetos.		Estima a duração de uma conversa.

| 12 anos | | Têmpora, axilas. Introdução de fatores sociais. | Consolidação da organização D. e E. dos objetos. | | Visão mais ou menos realista de seu futuro, suas esperanças, suas lembranças. Trabalha conceitos passados e futuros. |

Avaliação das provas acadêmicas num enfoque psicomotor

Este item foi incluído aqui não por ser um dos elementos da motricidade, especificamente, mas por existirem muitas características psicomotoras envolvidas na produção acadêmica.

Gostaria de frisar que não é minha intenção, neste momento, analisar de que forma se dá a aprendizagem da leitura, da escrita e da matemática e todos os elementos nelas envolvidos, mas simplesmente apontarmos formas de avaliação destas modalidades à luz da psicomotricidade.

Convém lembrar que o objetivo deste livro é a *avaliação* das habilidades psicomotoras e, por este motivo, restringi-me a uma breve explanação teórica sobre alguns pré-requisitos psicomotores nesta aprendizagem. Para outras informações especificamente sobre este tema, consultar Oliveira (2010).

A avaliação acadêmica proposta neste livro deve vir acompanhada da avaliação psicomotora, com o objetivo de verificar alguma relação que possa estar existindo entre todas as habilidades envolvidas.

1. Escrita (verificada pelo ditado)

O ato de escrever, *do ponto de vista psicomotor*, implica o domínio do traçado, a postura ao sentar, o tamanho das letras, a pressão do lápis, o respeito à direção gráfica, entre outros fatores.

A postura ao sentar deve ser correta para se obter qualidade gráfica e não prejudicar o corpo com posturas inadequadas. O dorso tem que estar direito, sem deitar-se sobre a carteira, os pés em apoio no solo, os joelhos em ângulo reto. Da mesma maneira, a forma de segurar o lápis ao escrever e ao desenhar é tão importante quanto a posição de sustentação do ombro com independência do antebraço e punho. Para se obter uma boa qualidade gráfica é recomendável que a criança se utilize da mão dominante.

Uma falha na coordenação fina pode fazer com que a criança não tenha força e precisão suficientes para imprimir maior velocidade à mão, ocasionando uma lentidão na escrita, o que dificulta a realização de gestos harmoniosos simples. Uma criança com este problema tem dificuldade em acompanhar o que a professora dita, e seus ditados são permeados de lacunas perdendo, assim, o sentido do texto.

A dominância manual deve ser bem firmada para a utilização correta dos instrumentos utilizados em sala de aula e para a internalização dos conceitos de direita e esquerda.

É necessário que haja orientação espacial e temporal, pois deve-se escrever as palavras uma após a outra, respeitando-se os espaços e os ritmos, e que se tenha bem nítida a percepção das formas (OLIVEIRA, 2010).

É necessário também que haja orientação espacial no papel para que a criança possa prever a dimensão de seus desenhos, que consiga trabalhar no espaço reduzido entre linhas horizontais, obedecer aos limites de uma folha, sem acumular palavras ao sentir que a folha vai acabar ou continuar a escrever fora desta.

A falta de discriminação visual e de orientação espacial pode levar o aluno a apresentar confusão nas letras de direções diferentes como *d* e *b*, *p* e *q*, *u* e *m*, *ou* e *on*, 6 e 9, 15 e 51. Na escrita, existem alguns erros ocasionados pelas letras que diferem em pequenos detalhes: *o* e *e*, *f* e *t*, *c* e *e*, *h* e *b*, *a* e *o*.

A dificuldade em memorização visual pode fazer com que o aluno se "esqueça" ou confunda os significados dos símbolos representados pelas letras. É pela memória visual que uma criança consegue discernir letras que possuem o mesmo som, como, por exemplo, *ssa* e *ça*. A dificuldade em memória auditiva pode levar a criança a esquecer-se da correspondência dos sons com as respectivas letras que os representam, especialmente quando se trata de ditado.

Realização da prova

Realizar o ditado com textos acessíveis ao nível escolar da criança, ditando pausadamente. Depois, pontuar os erros seguindo a ficha abaixo:

FICHA DAS OBSERVAÇÕES SOBRE O DITADO DO PONTO DE VISTA PSICOMOTOR

Nome do aluno: _____

Idade: _____Classe: _____Data: _____

1. Características da escrita

1.1. Escrita incompreensível e ilegível	( ) Sim	( ) Não	
1.2. Velocidade na escrita	( ) Média	( ) Muito rápida	( ) Muito lenta
1.3. Má orientação espacial no papel	( ) Sim	( ) Não	
1.4. Escrita em espelho	( ) Sim		
1.5. Pressão do lápis no papel	( ) Muito forte, com tônus muscular aumentado	( ) Muito fraca, com tônus muscular rebaixado	( ) Média

2. Tipos de erros

2.1. Falta de sinais de pontuação e acentuação de palavras	( ) Sim	( ) Não
2.2. Troca de letras ou sílabas	( ) Sim	( ) Não
2.3. Inversão de letras	( ) Sim	( ) Não
2.4. Omissão de letras ou sílabas	( ) Sim	( ) Não
2.5. Aglutinação	( ) Sim	( ) Não
2.6. Repetição de palavras ou sílabas	( ) Sim	( ) Não
2.7. Substituição de palavras por outras	( ) Sim	( ) Não
2.8. Acréscimo de letras ou sílabas	( ) Sim	( ) Não
2.9. Confusão de letras de formas parecidas	( ) Sim	( ) Não

Avaliação psicomotora à luz...

3. Postura ao escrever e forma de preensão do lápis

3.1. Postura ao escrever	( ) Correta	( ) Incorreta
3.2. Modo de pegar o lápis	( ) Correta	( ) Incorreta

Observações

Escrever abaixo os exemplos e quantidade de erros apresentados no ditado.

_____

_____

_____

2. LEITURA E INTERPRETAÇÃO DE TEXTO

Com frequência, uma criança que falou tarde e ainda não domina muito bem a linguagem poderá apresentar alguma dificuldade na aprendizagem da leitura. Por isto, fala-se que, antes da aprendizagem da leitura, deveria vir uma fase em que se ajudasse a criança a utilizar mais a linguagem, pois a leitura apoia-se em uma linguagem expressiva. "A leitura ocorre quando o símbolo gráfico é percebido significativamente" (SANTOS, 1987, p. 38). Segundo a autora a leitura é uma decodificação e uma identificação do significado de sons e sinais gráficos. É uma associação entre formas e sons. Esses sinais são mais ou menos complexos e exigem da criança uma capacidade de simbolização para que realmente se capacite a ler e a escrever.

Desta maneira, a leitura para crianças que se confundem diante dos sinais gráficos é pontuada por muitos erros, dificultando, assim, a compreensão do que está escrito.

A orientação espaço-temporal deve ser bem aprimorada, para que se respeite a ordem e a sucessão das letras e das palavras nas frases. A leitura possui uma forma ordenada e sucessiva, vale dizer, uma palavra atrás da outra, segundo um ritmo e um tempo determinado. É necessário também que se respeitem as paradas e intervalos curtos e longos indicados pelas pontuações (vírgula, reticências, dois pontos, interrogação, exclamação e ponto ao final da frase).

A leitura exige, portanto, uma percepção temporal e um simbolismo. Uma pessoa lê quando tem condições de compreender o que leu. Se ela simplesmente decodificar os sinais não estará lendo.

Quando lê, a criança precisa controlar o movimento dos olhos. A falta de coordenação ocular faz com que ela tenha uma movimentação dos olhos de forma desordenada, pois não consegue mantê-los na mesma direção quando lê. Acaba, então, lendo várias vezes as mesmas linhas ou pula uma frase inteira comprometendo a compreensão da leitura.

A discriminação visual auxilia a diferenciação entre letras de grafias diferentes. Uma discriminação auditiva pobre prejudica a capacidade de captar e diferenciar sons com intensidades diferentes. É necessário, do ponto de vista neurológico e perceptivo, que haja capacidade de discriminação auditiva entre dois sons próximos como *ê* e *é*.

A memória auditiva é responsável pela retenção e recordação das palavras captadas auditivamente. Algumas crianças que têm dificuldades em memorização auditiva se esquecem do som que as letras representam. Apresentamos, a seguir, algumas letras que são passíveis de serem confundidas pelo som (OLIVEIRA, 2010, p. 103).

> [...] *f* por *v*; *b* ou *j* (foi por *voi* ou *joi*)
> *p* por *b* (ponte por *bonte*)
> *ch* por *j*, *v* (chapa por *japa*)
> *d* por *b* ou *t* por *b* (dado por *bado* ou *tado*)
> *t* por *d* (tatu por *dadu*)
> *s* por *z* (sonho por *zonho*)
> *c* por *g* (cartaz por *gartaz*).

As vogais nasais *an*, *en*, *in*, *on*, *un* também podem ser confundidas pelas orais correspondentes *a, e, i, o, u*. Ex.: então por *etão*, inverno por *iverno*.

Instruções para a aplicação desta prova

Apresentar para a criança textos para leitura de acordo com o seu ano escolar, e formular 3 a 4 perguntas para análise da compreensão. Proceder, então, à análise dos erros apresentados pela criança.

ANÁLISE DA LEITURA E COMPREENSÃO DO TEXTO

Gislene de Campos Oliveira e Lucila Dihel Tolaine Fini

Nome do aluno: _____

Idade: _____Classe: _____Data: _____

1. Ritmo e velocidade da leitura

( ) Rápida ( ) Lenta ( ) Média ( ) Com ritmo ( ) Sem ritmo

2. Características da leitura

( ) Expressiva ( ) Sílaba por sílaba ( ) Vacilante ( ) Palavra por palavra

( ) Outras: _____

_____

_____

_____

3. Atitude

3.1. ( ) Assinala a linha com o dedo

3.2. ( ) Movimenta a cabeça enquanto lê

3.3. ( ) Movimenta apenas os olhos com coordenação ocular

4. Tipos de erros

4.1. ( ) Omite letras ou palavras: _____

4.2. ( ) Troca letras ou inverte: _____

4.3. ( ) Acrescenta letras ou sílabas: _____

4.4. ( ) Pula linhas sem percepção do fato: _____

4.5. ( ) Substitui palavras por outras:_____

4.6. ( ) Não obedece a pontuação: _____

5. Compreensão da leitura

5.1. ( ) Compreende o que lê sem hesitações

5.2. ( ) Compreende apenas parte da leitura

5.3. ( ) Não compreende o que lê

Outras observações

_____

_____

3. MATEMÁTICA

O objetivo que nos propusemos neste item é avaliar o desempenho matemático da criança segundo alguns pré-requisitos instrumentais específicos da psicomotricidade e que passamos a analisar abaixo.

a) Grafismo matemático

É importante verificar a forma como a criança trabalha o grafismo matemático. Por exemplo: verificar como são registradas as contas, vale dizer, verificar se ela obedece ao espaço correspondente à dezena, à centena, ao milhar. Para armar e efetuar a seguinte conta: 135 + 42, a criança que não tem orientação espacial pode escrever:

$$
\begin{array}{r}
135 \\
+42 \\
\hline
555
\end{array}
$$

Um aluno que assim procede não possui uma percepção adequada das situações espaciais. Outro exemplo que podemos citar é a falta de orientação espacial em uma criança que não respeita a ordem a que deve obedecer ao efetuar a operação matemática. Como vimos no capítulo anterior, a criança deve seguir a direção gráfica tanto para ler como para escrever, isto é, da esquerda para a direita e de cima para baixo. Para realizar uma operação matemática, deve seguir a orientação de cima para baixo e da direita para a esquerda. Por exemplo, na seguinte adição:

$$
\begin{array}{r}
246 \\
+195
\end{array}
$$

muitos alunos com dificuldades em orientação espacial confundem-se quanto ao sentido gráfico e somam primeiramente 2 + 1 em vez de 6 + 5.

A memória espacial prejudicada também pode levar uma criança a confundir o sentido gráfico. Assim, por exemplo, ao invés de escrever 35, escreve 53.

b) Dificuldade em leitura prejudicando a compreensão do enunciado matemático

É preciso investigar se a criança entende o enunciado matemático. Muitas crianças não conseguem apresentar o resultado esperado na aritmética porque não conseguem ler ou entender o que leem, ou, mais do que isto, podem saber ler e ainda assim não apresentar o raciocínio lógico matemático necessário.

Lièvre e Staes (1992) fazem uma análise muito esclarecedora para nós sobre os pré-requisitos necessários à aprendizagem da matemática, do ponto de vista psicomotor. Existem pré-requisitos somente cognitivos e outros psicomotores e cognitivos.

Damos a seguir alguns exemplos que os referidos autores priorizaram.

c) Noção de número

Aspecto ordinal e cardinal do número: o conhecimento da sucessão dos números e de sua situação uns após os outros depende da estruturação temporal. O número 7 antecede o 8 e sucede o 6. O aspecto cardinal do número é o conhecimento da quantidade que representa o número.

d) Correspondência termo a termo

A criança deve fazer correspondência de um elemento de um conjunto com um só elemento de um outro conjunto. No nível psicomotor, o pré-requisito é a organização espacial para realizar suas flechas de maneira mais organizada e direta possível; no nível cognitivo, a criança deve entender que só um elemento de um conjunto faz correspondência com um só elemento do outro conjunto.

e) Código numérico

Lièvre e Staes (1992, p. 135) explicam de forma clara como as crianças trabalham o código numérico:

As quantidades são designadas por números e representadas pelos algarismos. A criança passa a uma representação simbólica, os pré-requisitos necessários a esta aprendizagem são, pois, os mesmos que aqueles da escrita e da leitura. A criança deve compreender o mecanismo do sistema de numeração. Nós trabalhamos com um sistema de base 10. Há, pois, 10 algarismos diferentes:

0 – 1 – 2 – 3 – 4 – 5 – 6 – 7 – 8 – 9. Para representar uma quantidade superior a 9, nós temos que combinar estes 10 algarismos entre eles e proceder por agrupamentos de 10. Assim 21 representa 2 agrupamentos de 10 e 1 unidade.

Pré-requisitos:

• memória das situações espaciais: a quantidade dos "grupos de 10" se indica à esquerda das unidades. O algarismo da esquerda representa o grupo maior (exemplo: 20 = dois grupos de 10);

• ritmo dos intervalos: 0, 10, 20, 30... Retoma-se a sucessão dos algarismos, mas por um intervalo de nove números 20, 21, 22, ..., 29, 30, ..., 40, ...;

• do ponto de vista cognitivo: a automatização do agrupamento de 10 (compreensão do sistema numérico).

f) Composição e decomposição: adição, multiplicação, subtração e divisão

Para se ter uma ideia de como a criança pode trabalhar essas operações, daremos um exemplo de adição proposto por Lièvre e Staes (1992): a criança não trabalha só o abstrato. Ela faz suas experiências de agrupamentos com base em manipulações espaciais. Ela trabalha com comprimentos equivalentes. Exemplos:

Na operação de adição 7 = 3 + 3 + 1, ela pode representar a soma de diversas formas:

3	3	1

$$7 = 1 + 2 + 4$$

1	2	4

O O	O	O
O O	O	

Pré-requisitos psicomotores e cognitivos apontados por Lièvre e Staes (1992, p. 136-137) em relação à composição e decomposição:

Para a *adição*: estruturação espacial.

- Percepção dos comprimentos e das formas;
- apreciação das distâncias dos comprimentos;
- organização espacial para combinar comprimentos, formas.

Para a *multiplicação*: estruturação espacial idêntica à adição.

- Percepção dos comprimentos iguais, de formas idênticas;
- cognitivo: noção de igualdade (os grupos devem ser formados de quantidades iguais).

Para a *subtração*: idênticos aos da adição com o acréscimo do ponto de vista cognitivo: a noção de reversibilidade.

Para a *divisão*: idênticos aos da multiplicação com o acréscimo do ponto de vista cognitivo: a noção de reversibilidade.

g) Geometria e medidas de grandeza

Os pré-requisitos são essencialmente espaciais, inicialmente, e depois passam para o domínio cognitivo.

Aplicação da prova

Apresentar para a criança diversos problemas e operações de acordo com seu ano escolar. Corrigir, levando em consideração não só os atributos cognitivos, mas também os psicomotores.

> **FICHA DAS OBSERVAÇÕES SOBRE A PROVA DE MATEMÁTICA**
> **DO PONTO DE VISTA PSICOMOTOR**
>
> Nome do aluno: _____
>
> Idade:_____Classe: _____Data: _____
>
> 1. Grafismo matemático. Em operações em que se deve armar e alinhar as contas, observar se a criança:
>
> 1.1. (   ) Obedece às colunas da dezena, centena e milhar
>
> 1.2. (   ) Obedece à direção espacial da direita para a esquerda (quando vai realizar alguma operação matemática)
>
> 1.3. (   ) Inverte os números (números em espelho)
>
> 2. Ao ler o enunciado do problema, verificar:
>
> 2.1. (   ) Se tem dificuldade em ler e entender o que lê
>
> 2.2. (   ) Se possui o raciocínio lógico-matemático necessário
>
> 3. Verificar se tem boa noção espacial e temporal nas seguintes operações:
>
> 3.1. (   ) Correspondência termo a termo
>
> 3.2. (   ) Determinação do valor posicional do número
>
> 3.3. (   ) Noção de espaço nos conjuntos matemáticos
>
> 3.4. (   ) Percepção dos comprimentos e das formas
>
> 3.5. (   ) Geometria
>
> 3.6. (   ) Aspecto ordinal e cardinal do número (sabe que número vem antes ou depois de outro)
>
> Outros tipos de erros:_____
> _____
> _____
> _____

4. Verbalização: linguagem – Organização da vivência do espaço e tempo

A leitura e a escrita são formas de comunicação e expressão entre as pessoas. Anterior a elas, situa-se a linguagem. A criança deve ser capaz de comunicar-se com os outros verbalmente, de forma clara e sem problemas de articulação.

Existem, porém, muitos fatores que podem dificultar o desenvolvimento da linguagem. Os mais graves, considerados patológicos, dizem respeito à incapacidade ou dificuldade de articulação de palavras, o que pode ser consequência de lesões cerebrais. Os problemas foniátricos também são responsáveis por muitas falhas na comunicação verbal. Existem, além destes, muitos outros.

Não é nossa intenção descrevermos todos os problemas que impedem uma criança de desenvolver satisfatoriamente a linguagem, mas apenas alertar para um cuidado maior que o educador deve tomar para avaliar e sanar alguns desses problemas.

Muitas mães limitam-se a uma comunicação verbal pobre com seus filhos. Estes não irão experienciar uma linguagem comunicativa e satisfatória. Crianças que não se beneficiam de uma transmissão cultural suficiente podem ter alguma dificuldade de comunicação.

Uma orientação temporal mal estruturada pode levar igualmente uma criança a não se expressar corretamente, pois pode apresentar confusão na ordenação e sucessão dos elementos de uma sílaba, não percebendo o que vem antes e depois. Ela pode apresentar má utilização dos termos verbais, como por exemplo: ontem eu vou ao parque; amanhã eu comi banana.

Além disso, a má estruturação temporal pode ocasionar falta de ritmo na fala não por má articulação da palavra, mas por problema psicomotor somente.

Aplicação da prova

Pedir à criança para descrever como é sua escola, ou sua família, ou sua casa, ou seu quarto. Ou ainda pedir que conte alguma história. Podem-se fazer várias perguntas, como, por exemplo: do que você gosta de brincar? O que você mais gosta de fazer?

AVALIAÇÃO DA VERBALIZAÇÃO

Observar se na linguagem espontânea a criança:

1. Atém-se a detalhes	Sim ( )	Não ( )
2. Possui um bom repertório de vocabulário	Sim ( )	Não ( )
3. Expressa seu pensamento em sequência, com estruturação das frases (sequência lógica)	Sim ( )	Não ( )
4. Realiza troca de letras	Sim ( )	Não ( )
5. Apresenta muita inibição ao falar	Sim ( )	Não ( )
6. Possui facilidade de comunicação	Sim ( )	Não ( )
7. Fala em um tom muito baixo	Sim ( )	Não ( )
8. Possui segurança ao expressar suas ideias	Sim ( )	Não ( )
9. Obedece à pontuação e ao ritmo das palavras	Sim ( )	Não ( )
10. Expressa-se de maneira confusa	Sim ( )	Não ( )
11. Conta histórias com começo, meio e fim (com orientação temporal)	Sim ( )	Não ( )
12. Fala num ritmo muito rápido, muito lento ou modulado	Sim ( )	Não ( )
13. Responde ao que foi perguntado com poucas palavras, contando muitas histórias, ou responde de maneira incorreta	Sim ( )	Não ( )

Observações:

_____

_____

_____

_____

_____

_____

_____

_____

Entrevista de devolução do diagnóstico psicomotor e conclusão

Após um estudo minucioso de todos os elementos do diagnóstico, deve-se traçar a idade psicomotora da criança, bem como o perfil de todas as suas dificuldades e habilidades, uma vez que estas não amadurecem ao mesmo tempo, como já vimos no capítulo 4. Uma criança pode ter a idade motora correspondente à sua idade cronológica em coordenação e equilíbrio, esquema corporal, mas apresentar uma defasagem em relação à lateralidade, orientação espacial ou temporal. Neste sentido, deve-se detectar que habilidade é responsável por esta defasagem para se traçar o plano terapêutico mais adequado. A partir de então, é o momento para a entrevista de devolução.

É preciso lembrar que, durante as sessões de anamnese e avaliação, os pais também foram observados, e é muito importante que lhes seja comunicado o que se verificou no seu relacionamento com o filho para estimulá-los a participarem dos trabalhos que se seguirão.

Normalmente os pais vêm para essa sessão com muita ansiedade a respeito do que irão escutar. Em primeiro lugar, portanto, deve-se trabalhar esta ansiedade e deixá-los bem à vontade.

É necessário, também, que se explique o que vai ser feito com a criança e, para tanto, a conclusão e o diagnóstico precisam ser os mais precisos e organizados possíveis para evitar sentimentos de insegurança. Um laudo escrito pode auxiliar nesta organização.

Caso a criança apresente alguma dificuldade psicomotora, é preciso informar aos pais as condutas mais adequadas a serem seguidas e orientá-los quanto à melhor forma de auxiliar os filhos em casa, pois uma terapia não se faz somente nos consultórios de um psicólogo ou psicopedagogo. É necessário que os pais também se envolvam para melhor auxiliar a criança a superar suas dificuldades. Muitos pais tornam-se passivos no momento da terapia, como se deixassem para o terapeuta a responsabilidade de reeducar e resolver todos os problemas.

Outro fator muito importante detectado no momento da devolução do diagnóstico é o sentimento de culpa que a família desenvolve ao sentir-se responsável pelas dificuldades apresentadas pelo filho, ou ainda as acusações que os progenitores fazem entre si. O terapeuta deve evitar este clima de constrangimento de culpas e acusações, a sensação de fracasso e particularmente enfatizar como eles podem recuperar e trabalhar essas dificuldades a partir daquele momento, mostrando como cada um deve agir no futuro.

Uma terapia psicomotora não deve, portanto, ser isolada e trabalhada por um único profissional. É necessário que não só os pais, mas também os educadores se unam e se completem no sentido de trabalharem *juntos* as dificuldades que podem estar por trás do não aprender.

A família deve ser orientada no sentido de rever sua atitude em relação à criança promovendo um ambiente no qual reinem as regras, os limites, a afeição, a compreensão, a confiança e a valorização do potencial do filho. Os pais precisam saber que a superproteção pode levar a criança a não adquirir experiências com seu corpo e, com isto, distanciar-se cada vez mais de um bom desempenho psicomotor. Neste sentido, os pais podem auxiliar o filho, proporcionando-lhe vivências mais ricas que irão facilitar o desenvolvimento de outras capacidades, pois eles podem e devem opinar nos planos de reeducação.

O professor deve também ser orientado no sentido de tentar compreender melhor o aluno mesmo que este tenha alguns comportamentos inadequados, criando estratégias para promover uma aprendizagem escolar eficiente. Muitas vezes uma boa estimulação ambiental pode corrigir certas defasagens que a criança apresenta.

6. Entrevista de devolução do diagnóstico...

Uma das propostas é oferecer recursos que enriqueçam o processo educativo, favorecendo a estimulação do potencial motor e intelectual do aluno por meio de estratégias que visem a recuperação dos conteúdos escolares.

Gostaria de concluir este trabalho ressaltando ainda mais uma vez a importância de um trabalho de diagnóstico psicomotor que seja muito bem cuidado para o planejamento da reeducação. Uma criança com falta de experiência motriz não se situa bem em seu próprio corpo e acaba tendo um atraso em relação aos que o cercam. Sua confiança em si mesma quase sempre está prejudicada. É preciso lembrar que o próprio fato de darmos uma atenção diferenciada para a criança no momento da avaliação já se constitui em uma terapia. Ela se sente mais segura e com a sensação de que suas opiniões são valorizadas. Isto constitui uma mudança na sua forma de ver-se.

A criança está mais apta a ultrapassar suas dificuldades escolares na medida em que se desenvolve integralmente por meio de suas próprias experiências, da manipulação adequada e constante dos materiais que a cercam, e também das oportunidades de descobrir-se.

Ao longo deste trabalho procurei mostrar alguns exemplos da relação entre a psicomotricidade e a aprendizagem escolar.

Finalmente, gostaria de salientar a grande colaboração que obtive de todos os meus alunos na disciplina Psicomotricidade em todos estes anos. Agradeço não somente a meus auxiliares de pesquisa, mas também a todos os alunos que aplicaram o exame psicomotor, opinando, mostrando suas dúvidas, errando e acertando. Por eles obtive os parâmetros para a escolha de provas de fácil acesso e compreensão.

Anexos

1. Teste ABC de Lourenço Filho. In: Masson, 1985, p. 113.

2. Prova dos labirintos. Prova de Ozeretski, revisada por Guilmain, 1948.

3. Figuras esquematizadas. Prova de Piaget-Head. In: Zazzo, 1981, p. 63-71.

4. Prova de orientação espacial no papel. Autores desconhecidos (figuras distribuídas em escolas para atividades de cópia, recorte e colagem).

5. Memorização visual. Prova Bon Départ. In: Masson, p. 129-131.

6. Modelos: seis modelos iguais de tamanhos diferentes obedecendo a uma progressão de tamanho.

7. Modelos de sequência lógica de tempo – extraídos de revistas infantis.

ANEXO 1

Observação: As figuras acima têm que ir até as bordas do papel sulfite. Devem ficar, portanto, com aproximadamente 20cm.

Anexo 2

Observação: O tamanho original do labirinto, segundo o autor, é de 4,5cm x 7cm.

ANEXO 3

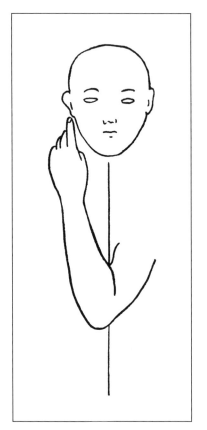
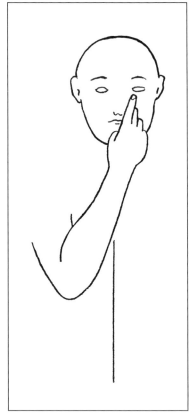

ANEXO 4A (ATÉ 6 ANOS)

ANEXO 4B (7-8 ANOS)

ANEXO 4C (A PARTIR DE 9 ANOS)

ANEXO 5 – MEMORIZAÇÃO VISUAL

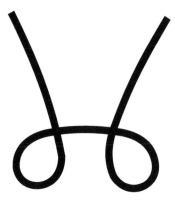

Observação: Estas figuras devem ser apresentadas individualmente impressas em cartões de aproximadamente 10cm x 10cm.

Anexo 6A

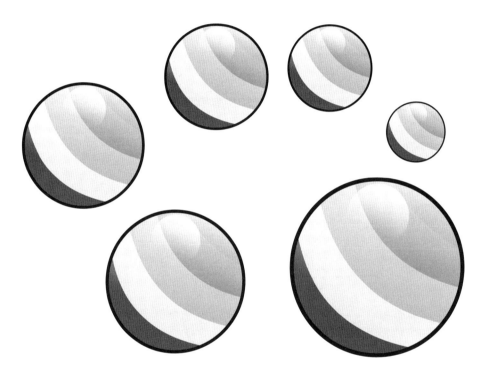

Anexo 6b

Anexo 7A

ANEXO 7B

Anexos

Extraído de *A bruxinha atrapalhada*, de Eva Furnari, Global, [s.d.].

Referências bibliográficas

ÁLVAREZ, P.C. (2007). *El desarrollo psicomotor y SUS alteraciones* – Manual práctivo para evaluarlo y favorecerlo. Madri: Pirámide.

BAGATINI, V. (1992). *Psicomotricidade para deficientes*. Porto Alegre: Sagra/D.C. Luzzatto.

BERGÈS, J. & LÉZINE, I. (1963). *Test d'imitation de gestes*. Paris: Masson.

BUCHER, H. (1978a). *Estudio de la Personalidad del niño através de la exploración psicomotriz*. Barcelona: Toray-Masson [Versão de Enrique de La Lana].

_____ (1978b). *Transtornos psicomotores en el niño* – Práctica de la reeducación psicomotriz. 2. ed. Barcelona: Toray-Masson [Versão de M.T. Serra].

CONDEMARÍN, M. et al. (1986). *Maturidade escolar*. Rio de Janeiro: Enelivros, 1986 [tradução de M.H.B. Nahoum].

DEFONTAINE, J. (1980). *Manuel de rééducation psychomotrice*. Tome 3. Paris: Maloine.

DE LIÈVRE, B. & STAES, L. (2006). *La Psychomotricité au service de l'enfant*. Paris: Belim.

DOMINGUEZ, D.M. (2008). *Psicomotricidad e intervención educativa* Madri: Pirámide.

DOURET, L.V. (1998). *Apports à l'examen Psychomoteur*. 3. ed. Editions Vernazobres-Grego.

FONSECA, V. (2009). *Psicomotricidade*. 2. ed. São Paulo: Martins Fontes.

_____ (1995). *Manual de observação psicomotora*. Porto Alegre: Artes Médicas.

FURTADO, V.Q. (2008). *Dificuldades na aprendizagem da escrita* – Uma intervenção psicopedagógica via jogos de regras. Petrópolis: Vozes.

GUILMAIN, E. (1948). *Tests moteurs et psychomoteurs* – Foyer Central d'higiène. [s.n.t.].

LALONI, D.T. & COELHO, M.V. (s.d.). *Adaptação brasileira do exame motor de Soubiran*. Apostila da Puc-Campinas.

MASSON, S. (1985). *Generalidades sobre a reeducação psicomotora e o exame psicomotor*. São Paulo: Manole [Tradução de L.C. de Almeida e V.N. Amary].

OLIVEIRA, G.C. (2010). *Psicomotricidade:* Educação e reeducação num enfoque psicopedagógico. 15. ed. Petrópolis: Vozes.

PICQ, L. & VAYER, P. (1985). *Educação psicomotora e retardo mental* – Aplicação aos diferentes tipos de inadaptação. 40. ed. São Paulo: Manole [tradução de A.F.M. Cardoso e V.T.G. Cardoso].

RICHARD, J. (2008). *Patología psicomotriz* – Abordajes específicos del médico y del terapeuta de psicomotricidad. Madri: Cie inversiones Editoriales Dossat.

SANTOS, C.C. (1987). *Dislexia específica de evolução*. 2. ed. São Paulo: Savier.

SOUBIRAN, G.B. & MAZO, P. (1965). *La réadaptation scolaire des enfants intelligents par la rééducation psychomotrice*. Paris: Doin.

TASSET, J.M. (1972). *Notions théoriques et pratiques de psychomotricité*. Quebec: Le Sablier.

VAYER, P. (1982). *A criança diante do mundo* – Na idade da aprendizagem escolar. Porto Alegre: Artes Médicas [Tradução de P.A. Pabst].

ZAZZO, R. (1981). *Manual para o exame psicológico da criança*. 2. ed. São Paulo: Mestre Jou [Tradução de L. Darós].